Ildikó von Kürthy

Höhenrausch

Roman

Rowohlt Taschenbuch Verlag

Veröffentlicht im Rowohlt Taschenbuch Verlag,
Reinbek bei Hamburg, Oktober 2007
Copyright © 2006 by Rowohlt Verlag GmbH,
Reinbek bei Hamburg
Umschlaggestaltung any.way, Hamburg,
nach einem Entwurf von PAPERZACK BRAND
(Foto: David Cuenca / Photoselection;
mauritius images / Hiroshi Higuchi, AF: Frank Grimm)
Layout Angelika Weinert
Lithographie Susanne Kreher GmbH, Hamburg
Satz aus der Swift PostScript, InDesign CS2
Gesamtherstellung Clausen & Bosse, Leck
Printed in Germany
978 3 499 24220 5

«Ich will, dass mich alles was angeht.
Und für das, was mir fehlt, will ich keinen Ersatz.»
Christoph Meckel, «Licht»

«Ich sag dir was: Ich will endlich mal die Andere sein! Wenigstens ein Mal. Diese geheimnisvolle und Furcht einflößende Andere. Die, von der du automatisch annimmst, sie sei schöner und jünger und dünner als du. Die, von der du glaubst, dass sie das Haus niemals ungeschminkt und nur auf hohen Absätzen verlässt.

Die Andere, die Gewissenlose, die keine Rücksicht nimmt, und auf dich schon gar nicht, und die ausgerechnet deinem Mann das Gefühl gibt, er sei etwas Besonderes. Und im schlimmsten Fall glaubt er ihr das sogar.

Ich möchte mal eine Bedrohung sein, statt immer nur bedroht zu werden. Ich möchte Geheimnisse haben, statt welche herauszufinden. Verdammt, warum bin ich immer die Eine und nie die Andere?»

«Du hattest noch nie eine Affäre?»

«Bevor es so weit kommen konnte, bin ich immer schon betrogen worden.»

«Das muss sich ändern. Am besten sofort!»

«Ach, und wen soll ich deiner Meinung nach betrügen? Darf ich dich daran erinnern, dass ich gerade erst frisch verlassen worden bin?»

«Alles ist möglich.»

«Alles und nichts. Und in meinem Fall tippe ich mal lieber auf nichts.»

«Ich sage dir, Linda, in ein paar Wochen erkennst du dein eigenes Leben nicht mehr wieder.»

«Ist das ein Versprechen oder eine Drohung?»

«Natürlich ein Versprechen!»

«Mal abwarten. Wie heißt es nochmal? Du kannst nicht beides haben: Versprechen und halten.»

«MIT SONNENUNTERGÄNGEN IST ES JA SO: KENNST DU EINEN, KENNST DU ALLE»

Es ist nämlich so, dass ich lieber nicht mit dem Besonderen rechne. Wenn mir was Bemerkenswertes passiert, dann bin ich vorsichtshalber überrascht und denke zunächst, es müsse ein Missverständnis vorliegen. Würde man mir die Hauptrolle in «Pretty Woman II» anbieten oder würde mich ein Profikiller im Auftrag des usbekischen Geheimdienstes mit einem Infrarotgewehr umlegen, oder würde eine Masseurin sagen, sie beneide mich um mein festes Bindegewebe – herrje, da weiß ich doch sofort: Hier stimmt was nicht! Hier liegt eine Verwechslung vor. Das ist doch gar nicht mein Schicksal!

Du musst auf der Hut sein, wenn dir was Ungewöhnliches passiert. Denn womöglich bist du gar nicht gemeint.

In diesem speziellen Fall allerdings gibt es keinen Zweifel. Ich, Linda Schumann, bin fünfunddreißig Jahre alt, irgendwie ungebunden, aber irgendwie auch nicht, und stehe meinem Schicksal gegenüber. Und, nein, es ist nicht der Killer aus Usbekistan. Es ist auf gewisse Weise erheblich schlimmer, ohne dass ich an dieser Stelle den Opfern von Profikillern zu nahe treten möchte.

Und? Erklingen Trompetenfanfaren in meinem Inneren? Ist die Szenerie von einem sanften, unwirklichen Zauber umwoben? So wie ich mir das vorgestellt hätte, wenn ich es mir überhaupt vorgestellt hätte? Natürlich nicht. Denn es kann keinen sanften, unwirklichen Zauber zwischen zwei Menschen geben, von denen einer Hüttenschuhe mit dunkelgrünem Zopfmuster trägt. Dieser eine bin bedauerlicherweise ich.

So ist es ja irgendwie immer: Du hoffst, dass etwas Bestimmtes passiert. Du hoffst und hoffst so vor dich hin, bis du dir selbst albern vorkommst und es sein lässt. Und wenn es dann passiert, bist du komplett unvorbereitet. Nicht der leiseste Hauch von Bauchgefühl. Keine intuitive Stimme, die dich deutlich und rechtzeitig warnt: «Zieh sofort diese beknackten Puschen aus! Und übrigens wäre jetzt auch ein hervorragender Moment, dir noch schnell einen BH umzuschnallen – auch wenn du in den letzten Wochen den Eindruck gewonnen hast, dass in Berlin selbst die fragwürdigsten Brüste unbefestigt unter Motto-T-Shirts ihr Unwesen treiben dürfen.»

Ja, das wären hilfreiche Hinweise gewesen.

Ich bin allerdings leider absolut nicht der Typ für Vorahnungen. Das hat mir auch meine Wahrsagerin bestätigt. «Sie sind durch und durch unesoterisch», hatte sie vorwurfsvoll nach einem ersten Blick in die Karten gemeint und daraufhin den Tarif für «wenig schwingungsintensive Personen» berechnet.

Es klingelt – und ich ahne wieder mal gar nichts. Wer soll das schon sein? Freitagabend. Kurz vor acht. Ich habe Sushi bestellt, und der einzige Freund, den ich in dieser Stadt habe, ist bereits da. Sitzt neben mir auf dem Sofa und isst abwechselnd Mozartkugeln und Erdnüsse im Honig-Knuspermantel.

Mit vollem Mund sagt er: «Ich brauche eine Extraportion Sojasauce. Und sag ihm: Bloß keinen Ingwer! Ich kann davon sterben.»

«Wolltest du nicht heute sowieso am liebsten sterben, genauso übrigens wie gestern und vorgestern?»

«Linda, du weißt, ich verstehe Spaß, aber in meiner Situation habe ich ein Mindestmaß an Rücksicht verdient. Wenn ich sterbe, möchte ich mir schon noch selbst aussuchen, woran. Und zwar an gebrochenem Herzen – und nicht an einer allergischen Reaktion auf eine asiatische Wurzelknolle.»

«Weißt du noch? Auf mich hast du auch allergisch reagiert, als wir uns kennen lernten – und du bist nicht gestorben.»

«Aber fast! Und außerdem ist die Gesamtsituation doch überhaupt nicht vergleichbar. Ich war gesundheitlich viel robuster, weil ich damals noch glücklich war.»

In schneller Folge verschwinden zwei weitere Mozartkugeln in seinem Mund. Gut, denn solange er isst, weint er wenigstens nicht. Da sind seine Prioritäten eindeutig: Erst der Speck, dann der Kummer.

Damals ist jetzt sechs Wochen her.

Unsere erste Begegnung war ein Albtraum. Wir lernten uns unter so unglaublich peinlichen Bedingungen kennen, dass wir nur eine Wahl hatten: Wir mussten uns hassen oder lieben. Eine ausgewogene Beziehung war unter den gegebenen Umständen nicht möglich. Wir entschieden uns zunächst für Hass.

«Groß, schlank, Mitte bis Ende dreißig, gerne blond, gerne gebildet, vorzugsweise mit gesichertem Einkommen und interessiert an einer festen Bindung.»

Das waren die Kriterien, die ich bei der Dating-Agentur

«Lucky Number» in der Rubrik «Mit was für einem Mann wollen Sie am Wochenende ausgehen?» eingegeben hatte. Vorher hatte ich bereits meine Kreditkartennummer preisgegeben und zugestimmt, dass bei erfolgreicher Vermittlung von meinem Konto 9 Euro 95 abgebucht würden.

Ja, ja, natürlich hatte ich mich im Vorfeld hinlänglich geschämt. Erstens dafür, dass ich meinte, so was überhaupt nötig zu haben: eine Verabredung gegen Geld mit einem Unbekannten! Wie tief war ich gesunken? Und das Schlimme an diesem Unbekannten wäre ja in jedem Fall, dass er auch meinte, so was nötig zu haben. Da treffen sich also zwei Verzweifelte, die sich und den anderen dafür verachten, dass sie auf diese Weise zusammenkommen. Wie soll das gut gehen?

Eigentlich möchte ich nichts zu tun haben mit einem Kerl, der 34 Euro 95 zahlt – es gibt einen Überschuss an suchenden Männern, deswegen müssen die mehr zahlen –, um mit einer Frau wie mir auszugehen. Und wennschon, dann soll er wenigstens erfolgreich, klug und schön sein. Und blond. So was hatte ich nämlich noch nicht. Zumindest nicht in dieser Kombination.

Was mich dennoch motivierte, per Internet einen Mann für Samstagabend und am liebsten auch für das darauf folgende Leben zu suchen, war der Alkoholgehalt in meinem Blut, als ich auf «Daten abschicken» klickte.

Es war Freitagabend, und ich hatte den ersten Monat überlebt, in einer fremden Stadt und einer fremden Wohnung – und das mit dem gewöhnungsbedürftigen Status «frisch getrennt» beziehungsweise «frisch verlassen».

Nach einer drei viertel Flasche Sekt hatte ich mir den Eindruck angetrunken, einen Grund zum Feiern zu haben und unwiderstehlich zu sein. Außerdem hatte ich gelesen, dass sich mittlerweile die meisten Paare per Internet kennen lernen. Ich goss noch ein Gläschen nach, bevor ich mich daranmachte, mein «Profil» zu erstellen. Das war schwierig, denn es galt, ein ausgewogenes Verhältnis zu finden zwischen Ehrlichkeit und Auslegbarkeit.

Körpergröße eins siebzig und Alter fünfunddreißig lassen natürlich kaum Interpretationsspielraum zu. Mein Körpergewicht jedoch rundete ich großzügig nach unten ab, weil da ja *so* Dinge eine nicht zu unterschätzende Rolle spielen wie die spezifische Knochendichte und der Wasseranteil im Gewebe. Und außerdem stellt man sich ja üblicherweise beim Kennenlernen nicht als Erstes vor den Augen des anderen auf die Waage.

Ich denke auch, dass die Angabe «kastanienbraunes Haar» als korrekt gelten darf, weil man ja heute mit Tönungen schöne Ergebnisse erzielen kann. Und bis sich dann die Farbe nach und nach rauswäscht, ist der Unbekannte längst kein Unbekannter mehr und hat schon deine inneren Werte entdeckt. Und wenn ihn die nicht abschrecken, wird es dein langsam zum Vorschein kommendes, stumpfes, mittelbraunes Haar auch nicht tun.

Auch die Angabe «gebildet und humorvoll» machte ich mit relativ kleinem schlechtem Gewissen. Ich finde, der Begriff Bildung ist doch heutzutage ein überaus dehnbarer geworden. Die einen erwarten von dir, dass du das Werk Schopenhauers auswendig kennst. Die anderen halten dich für bescheuert, wenn du nicht weißt, dass die Sentenz «Schmerz ist, wenn Schwäche den Körper verlässt» von Arnold Schwarzenegger stammt.

Ich finde, mit einem durchschnittlichen Abitur, zwei abgebrochenen Studiengängen, einer Übersetzer-Ausbildung und diversen Hesse-Romanen mit eigenhändig unterstrichenen Passagen im Regal darf ich mich getrost als gebildet bezeichnen.

Und wem das nicht reicht, dem komme ich mit dem wunderbaren Begriff «emotionale Intelligenz». «Herzensbildung» hieß das, glaube ich, früher, als es noch Poesiealben und Kaugummiautomaten gab. Auf diesem Fachgebiet macht mir keiner so leicht was vor. Mein Herz ist gebildet und gebeutelt und natürlich mehrfach gebrochen.

Ein wenig gezögert hatte ich bei dem Begriff «humorvoll». Ich meine, ich bin selbstverständlich total humorvoll, halte mich für irrwitzig witzig und kann herzlich und lang anhaltend über meine eigenen Scherze lachen. Das schon. Aber man muss vorsichtig sein, denn mit einem ausgeprägten Eigenhumor kann man Männer leicht abschrecken.

Viele betrachten eine Frau ja nur dann als angenehm lustig, wenn sie keinen Wert auf eigene Scherze legt, dafür aber umso hingebungsvoller über die des Mannes lacht.

Trotzdem entschied ich mich, in meinem Profil meinen Humor nicht zu verschweigen. Ähnlich wie ein Buckel oder schiefe Zähne ist er ja auch auf Dauer schlecht zu verbergen, zumal ich finde, als emanzipierte Frau sollte man offen zu seiner Intelligenz und seinem Humor stehen.

Auf der Wunschliste der Eigenschaften meines Dating-Partners hatte ich «humorvoll» mit Bedacht nicht angekreuzt. Es gibt nichts Schlimmeres als einen Mann, der von sich glaubt, er sei lustig. Der sagt dann beim vierten Gin Tonic Sachen wie «Nich lang schnacken, Kopf in Nacken» oder «Nur die Harten kommen in den Garten» und wundert sich ernsthaft, warum ihm noch keiner eine eigene Comedy-Show angeboten hat.

Ich war sehr nervös vor meinem ersten Blind Date. Und ich fragte mich, wovor ich eigentlich mehr Angst hatte: dass er meinen Ansprüchen nicht gerecht werden würde oder ich seinen.

Ich betrat die Berliner Schaubühne mit Herzklopfen und einem kastanienbraunen Schimmer im Haar.

Genau genommen war ich in meinem Leben nur viermal im Theater gewesen, wobei ich zweimal die Pause genutzt hatte, um vorzeitig zu gehen. Aber Ibsens «Die Frau vom Meer» hatte ich mit Bedacht ausgewählt. Ich wollte dem Schicksal ein wenig auf die Sprünge helfen, denn meine Wahrsagerin hatte gesagt: «Halten Sie Ausschau nach einem Mann vom Meer. Ich kann in Ihren Karten ganz eindeutig sehen, dass das Meer in Ihrem Liebesschicksal eine entscheidende Rolle spielen wird.»

Das war vor vier Jahren. Ich lebte in meiner Heimatstadt Jülich und war gerade frisch verliebt. Dieser Mann – ich werde seinen Namen nie mehr aussprechen, das habe ich mir am Ortsschild Berlin geschworen – kam zwar nicht vom Meer, hatte aber immerhin ein Aquarium.

Meine Nachfrage bei der Wahrsagerin, ob der Ausdruck

«Mann vom Meer» etwas großzügiger ausgelegt werden könne, quittierte sie mit tiefem Seufzen und dem erneuten Hinweis, dass sie es selten mit einem so unspirituellen Menschen wie mir zu tun gehabt habe. Dass ich drauf und dran war, in mein Verderben zu rennen, hat die blöde Kuh natürlich nicht vorausgesehen.

Ich sah ihn sofort. Er stand wie vereinbart an der Bar der Schaubühne und hielt eine weiße Nelke in der Hand. Das hatte ich als Erkennungszeichen schon mal komplett bescheuert gefunden – aber ich wollte die Beziehung nicht gleich zu Anfang durch Mäkeleien gefährden. Dazu hätte ich in den nächsten Jahren ja noch genügend Gelegenheit.

Ich hatte von «Lucky Number» lediglich die Telefonnummer und das Pseudonym der Person bekommen, die laut Computerabgleich am besten zu mir passte. Verabredet hatte ich mich mit «Lustmolch» per SMS, wobei mir, das muss ich sagen, bei dem Pseudonym schon ein klitzekleines bisschen mulmig zumute war. Ich hoffte aber einfach, dass er «Lustmolch» in selbstironischer Absicht gewählt hatte. Ich jedenfalls hatte mein Pseudonym «Paprika» unter diesem Aspekt ausgesucht. Außerdem war ich ja betrunken gewesen.

Allerdings habe ich mit der Hoffnung, etwas sei bloß ironisch gemeint, schon manches Mal voll danebengelegen. Besonders Männer meinen das, was sie sagen, relativ oft ernst. Und wenn man sich dann darüber kaputtlacht und sagt, wie toll man das findet, dass einer über sich selbst Witze macht, dann verstehen sie die Welt nicht mehr und fragen verdattert: «Was denn für Witze?»

Erwähnt sei hier mein Exfreund, dessen Namen ich nicht nennen darf. Meine Freundin Silke nennt ihn der Einfachheit halber «Draco». Da wir ständig über ihn sprechen, ist das zeitsparender, als immer «du weißt schon wer» zu sagen oder «dein bescheuerter Exfreund» oder «der, dessen Name nicht genannt werden darf».

Belesene Menschen wissen natürlich, dass «der, dessen Name nicht genannt werden darf» ein Standardbegriff der zeitgenössischen Literatur ist. Bei «Harry Potter» steht er für den fiesen Magier Lord Voldemort, den alle außer Harry so fürchten, dass sie nicht wagen, seinen Namen auszusprechen.

Silke befand, das sei zu viel der Ehre für meinen bescheuerten Exfreund, und taufte ihn Draco – nach dem ekeligen Mitschüler Draco Malfoy, Harrys ständigem, aber erfolglosem Widersacher.

Draco jedenfalls war immer nur aus Versehen komisch. Bloß hatte ich das zu spät gemerkt. Als zum Beispiel bei unserem ersten gemeinsamen Urlaub – am Meer selbstverständlich, ich wollte es dem Schicksal leicht machen – die Sonne genau so am Horizont versank, wie sie das soll, wenn zwei Verliebte ihr dabei zuschauen, sagte er in die ergreifende Stille hinein: «Mit Sonnenuntergängen ist es ja so: Kennst du einen, kennst du alle.»

«ANDERE LEUTE HABEN APPETIT. ICH HABE HUNGER!»

Lustmolch starrte mich an.

Ich starrte zurück.

Hier war ganz offensichtlich etwas fundamental schief gelaufen.

«Sie sind Sexgott siebenundzwanzig?», fragte mich der kleine, dickliche Türke mit entsetzter Stimme. «Aber Sie sind ja eine Frau! Und noch nicht mal blond!»

Er schaute mich so angewidert an, als sei Weiblichkeit in Kombination mit mittelbraunem beziehungsweise kastanienbraunem Haar eine ansteckende Krankheit mit unbedingter Todesfolge.

Na bravo! Mein erster Versuch, über eine Dating-Agentur jemanden kennen zu lernen, und man vermittelt mir einen untersetzten Homosexuellen mit schlechten Umgangsformen in einem lila changierenden Anzug auf der Suche nach Sexgott siebenundzwanzig. Ich war beleidigt.

Dass der Name «Sexgott» bei der Agentur offenbar schon siebenundzwanzigmal gewählt worden war, ist für die gesamte Männerwelt bezeichnend und beschämend. Die siebenundzwanzig Sexgötter würde ich gerne mal in einer Reihe stehen sehen. Bestimmt ein göttlicher Anblick.

«Nein, das bin ich nicht», sagte ich so beherrscht wie möglich. «Aber Sie sind auch nicht blond. Und schlank schon gar nicht. Und gebildet sind Sie höchstwahrscheinlich auch nicht.»

Das Klingeln, das den baldigen Beginn der Vorstellung ankündigte, zwang uns, eine Entscheidung zu treffen.

«Ich möchte mir die Aufführung ungern entgehen lassen», sagte ich spitz und fand, dass ich mich anhörte wie eine Frau, die Broschen trägt und «Psssst!» zischt, wenn ihr Mann im Theater laut lacht. Lustmolch hatte mich in ein paar Sekunden zu einer Person gemacht, die ich nie sein wollte. Dafür hasste ich ihn umso mehr.

Er folgte mir schweigend zu unseren Plätzen, und bis zur Mitte des Stücks würdigten wir uns keines Blickes mehr. Dann bekam ich eine SMS, was, fürchte ich, auch den Schauspielern auf der Bühne nicht entging. Das durchdringende zweimalige Piepsen wurde durch meine Handtasche kaum gemildert. Ich schämte mich zu Tode – und hätte Lustmolch meucheln können, der sich demonstrativ an die Stirn tippte.

Zwei Minuten später erhielt auch er eine SMS, und es ertönte ein dreimaliges schrilles Wiehern. Leute mit pseudowitzigen Klingeltönen mag ich ja ganz besonders. Wahrscheinlich konnte ich noch dankbar sein, dass das Handy meines missratenen Sitznachbarn nicht rülpste oder pupste. Meine Laune verschlechterte sich zusehends.

Wie sich herausstellte, hatten wir beide eine SMS von der Agentur «Lucky Numbers» bekommen. Man teilte uns mit, dass es durch einen Zahlendreher bei der Eingabe unserer Kundennummern zu einer irrtümlichen Vermittlung gekommen sei. Wir möchten den Fehler entschuldigen, unsere Gebühren würden selbstverständlich erstattet werden.

Ich war vom Stück und meinem Begleiter so genervt, dass ich es bitter bereute, auf einem teuren Mittelplatz in der fünften Reihe zu sitzen. Da kann man sich nicht einfach rausstehlen – schon gar nicht, wenn man bereits durch Piepsen und Wiehern einen schlechten Eindruck gemacht hat.

Eine Pause hatte «Die Frau vom Meer» leider nicht zu bieten. Dafür aber 'ne Menge Meer. Es waberte in Form von Kunstnebel über die Bühne, und ich hatte gleich so ein Gefühl, dass der zuständige Techniker die Nebelmaschine womöglich etwas zu großzügig betankt hatte.

Die Darsteller waren nach einer Stunde eigentlich überhaupt nicht mehr zu sehen, und so langsam quoll der Nebel auch ins Parkett. Die ersten beiden Reihen waren schon komplett vernebelt, und ich fand das sehr amüsant, wie feine Damen versuchten, möglichst elegant mit ihrem Programmheft zu wedeln, um den klammen Dunst von ihren Lammfelljäckchen fern zu halten. Ich dachte an «The Fog – Nebel des Grauens» und genoss das Schauspiel – bis der türkische Lustmolch neben mir plötzlich anfing zu röcheln und seine Hand so heftig in meinen Unterarm krallte, dass ich sofort wusste, das würde einige ordentliche Blutergüsse hinterlassen. Ich neige nämlich zu blauen Flecken. Nach einer besonders herzlichen Umarmung oder etwas zupackenderem Geschlechtsverkehr sehe ich immer so misshandelt aus, dass mich jedes Frauenhaus mit Kusshand nehmen würde.

«Der Nebel!», japste Lustmolch. «Mein Asthma! Ich muss hier raus!»

Das Meer hatte mittlerweile auch unsere Reihe erreicht.

Ich packte Lustmolchs Hand und zog ihn Richtung Ausgang. «Ein Notfall», flüsterte ich entschuldigend den Leuten zu, die unseretwegen aufstehen mussten. Bei dem ein oder anderen hatte ich den Eindruck, Neid im Gesicht zu sehen, weil da zwei dem Nebel des Grauens entkamen.

In der Theaterbar bestellten wir in kurzem Abstand drei Runden Sekt. «Schaumwein weitet die Blutgefäße und die Bronchialkapillaren», verkündete Lustmolch, der sich von seinem Asthmaanfall beachtlich schnell erholte.

Ich betrachtete ihn jetzt etwas wohlwollender. Er konnte ja eigentlich nichts dafür, dass er schwul und offensichtlich mit einem bedauernswerten Bekleidungsgeschmack ausgestattet war. Außerdem hatte mir seine labile Gesundheit eine weitere Stunde Theater im Nebel erspart.

Figürlich gesehen sah Lustmolch aus wie ein aus der Form geratener Türsteher. In seinem Gesicht – erstaunlich schmal für die bedrohliche Breite seines Oberkörpers – waren die runden blauen Kinderaugen eine angenehme Überraschung. Körpermittig spannte sich eine beachtliche Plautze.

«Ich habe im letzten Jahr etwas zugelegt», murmelte er, als er meinen Blick bemerkte, und schaute bedauernd an sich hinunter. Ach, das fand ich nun wieder liebenswert. Weil es mich an mich erinnerte.

Wenn mich einer genau anschaut, rechne ich auch immer als Erstes damit, dass eine Beschwerde kommt oder ein dezenter Hinweis auf eine optische Entgleisung. Mir wird dann ganz ungemütlich zumute, und ich gebe lieber unaufgefordert zu, dass ich schlecht geschlafen oder zu lange gefeiert habe, der Friseur im Urlaub oder der Vertrag im Fitnessstudio ausgelaufen ist. Das mache ich reflexartig – um mich dann zu ärgern, dass ich mein Gegenüber bereitwillig auf Macken aufmerksam mache, die derjenige von sich aus womöglich gar nicht entdecken würde.

Fehlt nur noch, dass ich dem Nächsten, der mir in den Ausschnitt schaut, sofort entschuldigend die Diagnose meines Hautarztes mitteile. «Frau Schumann», hatte der Herr gemeint, als er meinen Körper nach Sonnenschäden absuchte, «für dieses Dekolleté sind Sie eindeutig zu jung!» Da ich fünfunddreißig bin und das ja nun wirklich nicht mehr jung zu nennen ist, kann man sich vorstellen, wie alt mein Ausschnitt aussieht.

Das liegt daran, dass ich mir vor jedem Urlaub vornehme, einen hohen Sonnenschutzfaktor zu benutzen. Lieber langsam braun werden als schnell verbrennen, sage ich mir jedes Mal. Aber es nützt nichts. Bereits am zweiten Tag liege ich dampfend und rot glühend in der Mittagssonne, eingecremt mit «Coconut-Tropical-Oil für die stark vorgebräunte Haut».

Ich weiß auch nicht, aber bei einigen Themenbereichen des Lebens braucht man mir mit vernunftbezogenen Argumenten nicht zu kommen. Was Sonnenbäder, Kleiderkauf,

Beziehungen und den Verzehr von Kinderschokolade angeht, ist mein Unterbewusstsein programmiert auf «möglichst viel, möglichst schnell!».

Ich bin nicht der Typ, der noch dreimal um den Block geht, bevor er eine Bluse kauft. Und wie oft habe ich versucht, ein Stück Schokolade langsam auf der Zunge zergehen zu lassen oder eine homöopathische Dosis Chips zu genießen? Selten. Eher gar nicht. Andere Leute haben Appetit. Ich habe Hunger! Ich kann mich einfach nicht entspannen in Anwesenheit einer halb vollen Packung mit was drin, das ich mag.

Ich war nie gut im Langsamangehen oder Erst-mal-sacken-Lassen. Warum langsam, wenn's auch schnell geht? Ich wehre mich auch nicht dagegen, mich Hals über Kopf zu verlieben. Ich wäge kein Für und Wider ab. Ich bin nicht vorsichtig. Ich will nicht vernünftig sein. Warum noch eine Nacht darüber schlafen, wenn du diese Nacht bereits mit ihm verbringen könntest? Warum erst mal in dich gehen? Warum nicht gleich mit ihm nach Hause?

Mein Freund Andreas, den ich noch nie gesehen habe, hat mir vor ein paar Stunden dazu Folgendes gemailt:

Von: Andreas Szabo
Betreff: Re: Bräunen oder verbrennen?
Datum: 3. Oktober 14:14:11 MESZ
An: Schumannli@aol.com

Liebe Linda,

du willst also nicht vorsichtig sein. Und kommst dir dabei wahrscheinlich auch noch total hip und mädchenhaft vor. Das nervt. Vor allem, weil du kein Mädchen mehr bist und weil ich anderthalb Jahre jünger bin als du – und mir schon vorkomme wie der gute alte Onkel, der dir zahnlose Ratschläge für den weiteren Lebensweg gibt.

Aus Fehlern zu lernen heißt nicht, konventionell zu sein. Und nicht jeder, der vorher über das nachdenkt, was er tut, ist automatisch ein Spießer. Mit Vernunft werden auch Weltkriege verhindert. Das vorweg, falls du gerade ausholst, mich als früh vergreisten Emotionsminimalisten zu beschimpfen.

«Charakter entsteht durch kurzfristigen Triebverzicht zugunsten langfristiger Ziele.»

Ist leider nicht von mir. Wie viele Blusen hängen in deinem Schrank, die du nur einmal getragen hast? Und wie viele wären es, wenn du vor dem Kauf nochmal drüber geschlafen hättest?

Lass mich raten, wie fundamental du deinem Exfreund auf die Nerven gegangen bist mit dem ständigen Gezeter über ein paar Kilo zu viel?

Hat er dir gesagt, dass es doch eine prima Alter-

native wäre, statt zu jammern, die Tüte Chips in
Frieden zu lassen? Vermutlich nicht. Ich war für so
was auch immer zu bequem. Hätte wahrscheinlich ohnehin nichts genützt.
Entweder ihr seid unglücklich, weil ihr euch zu
dick findet, oder ihr seid unglücklich, weil ihr auf
Kohlehydrate verzichtet. Oder ihr seid unglücklich,
weil ihr schlank seid, aber nicht wisst, ob ihr
euer Gewicht halten werdet.
Euer jeweiliger Gemüts- und Körperzustand muss immer und unter allen Umständen thematisiert werden.
Warum könnt ihr nicht einfach mal die Klappe halten
und still vor euch hin abnehmen?
Ich weiß, was du jetzt sagen willst: Dein Charakter sei einfach nicht für den Verzicht geschaffen,
zumindest nicht für den stillen Verzicht.
Und nur weil ich so ein unkommunikativer Einzeller
sei, der seine Probleme mit sich ausmacht, solle
ich nicht glauben, mein Weg sei der einzig wahre,
um durchs Leben zu kommen.
Das sage ich ja auch nicht. Aber wenn du mich schon
fragst: Ja, lieber bräunen statt verbrennen. Nimm
den hohen Schutzfaktor und das Stück Schokolade
statt der ganzen Tafel. Und schlaf eine Nacht drüber, bevor du mit wem auch immer schläfst.

Andreas

PS: Noch etwas in eigener Sache.
Ich habe in deiner Küche ein seltsames Gerät entdeckt. Es sieht aus wie eine Mischung aus Vibrator

und Moulinette. Ich habe versucht, damit Zwiebeln
zu hacken, und hätte dabei fast meinen Daumen
filetiert. Was ist das?

Von: Linda Schumann
Betreff: Re: Re: Bräunen oder verbrennen?
Datum: 3. Oktober 17:42:29 MESZ
An: Aszabo@aol.com

Hände weg vom Pürierstab, ehe ein Unglück geschieht! Und ja: Ich bin nicht der Typ für stillen
Genuss und stillen Verzicht. Stille im Allgemeinen
ist nicht so mein Ding. Ich hasse sogar stilles
Mineralwasser!
Mehr kann ich dazu jetzt nicht schreiben, weil ich
auf dem Weg zu meinem ersten Blind Date bin. Mit
einem gewissen «Lustmolch» ins Theater! Werde dir
später berichten. Und du wirst vor Neid erblassen,
wenn ich mich heute Abend Hals über Kopf verlieben und eine rauschende Nacht mit meinem künftigen
Gemahl verbringen werde – während du nochmal sacken
lässt, was du als Nächstes ganz langsam angehen
lassen könntest.

Linda

PS: Bin ich froh, dass ich dich nicht kenne. Sonst
wäre ich niemals so ehrlich.
PS 2: Heute müssen die Blumen gegossen werden.
Doch, auch die auf dem Balkon. Regen reicht nicht.

Andreas und ich hatten uns genau im richtigen Moment nicht kennen gelernt. Drei Monate nach der traumatischen Trennung von meinem Freund hatte ich beschlossen, die Stadt zu verlassen. Ein Neuanfang schien mir angebracht. Weg von all den Erinnerungen, weg von der Möglichkeit, ihm an jeder Ecke begegnen zu können. Drei Monate wollte ich mir für meine Genesung gönnen. An meinen Übersetzungen konnte ich schließlich überall arbeiten.

Innerhalb von ein paar Tagen fand ich über die Mitwohnzentrale eine Wohnung in Berlin. Das erste Angebot hatte ich abgelehnt, obschon die Fotos der beiden Zimmer recht einladend aussahen. Aber bei genauerem Nachfragen stellte sich heraus, dass das, was mir der Vermieter am Telefon als «unverbaubaren Fernblick» beschrieben hatte, der Sichtkontakt zur Landebahn des Flughafens Tempelhof war.

Das zweite Angebot war perfekt. Für alle Beteiligten. Andreas Szabó, Illustrator, bot ab sofort seine Zweizimmerwohnung am Prenzlauer Berg an und suchte – ich zitiere die Mitwohnzentrale: «Egal was. Möglichst sofort. Mindestens dreihundert Kilometer weg von Berlin. Kleine Stadt. Erst mal für drei Monate.»

Na, da schien einer genauso dringend sein Leben verlassen zu wollen wie ich. Und so hatten wir einfach getauscht, sein Leben gegen meins, mein Leben gegen seins. Wir haben uns nie gesehen. Sind einfach am selben Tag und zur selben Zeit losgefahren und haben die Schlüssel bei den Nachbarn hinterlegt.

Zunächst tauschten wir nur E-Mails aus wie «Muss man deinen Toaster bedrohen, damit er funktioniert?» (von mir) oder «Wie konntest du mit einer Nachbarin existieren, die zum Aufstehen Whitney Houston aufdreht?» (von ihm). Oder:

«Dein Wecker tickt so laut, dass er mich nicht wecken muss, weil ich wegen ihm ohnehin nicht einschlafen kann» (von ihm). Oder: «Hilfe, hätte heute fast deine widerlichen Ohrenstöpsel aufgegessen, weil ich sie für Gummibärchen hielt!» (von mir).

Aber wenn einer in deinem Bett schläft, bewacht von deinen Stofftieren, wenn einer vergisst, deine Balkonpflanzen zu gießen, wenn einer zum Einschlafen die Spieluhr aufzieht, die du so liebtest, bis sich traurige Erinnerungen an sie hefteten wie fettige Fingerabdrücke, wenn sich einer ka-

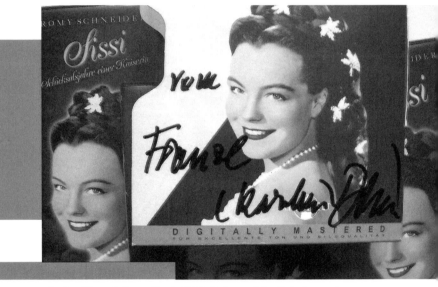

puttlacht über deine «Sissi»-DVD-Schmuckkollektion mit persönlicher Widmung von Karlheinz Böhm, wenn einer auf der Flucht ist – genauso wie du – und merkt, dass Fliehen sinnlos ist – genauso wie du: Dann entsteht eine seltsame, anonyme Nähe.

Mittlerweile weiß Andreas so viel über mich, als würden wir uns schon Jahre kennen. Ich versuche, ihn zu trösten,

wenn er sich einsam fühlt in der Wohnung, die ich gerade so schlimm vermisse. Entweder schreibe ich dann Mails, die ich für lustig halte, oder mache ihn auf Bücher und Filme in meinen Regalen aufmerksam, die mir immer geholfen haben, mich von meinem Kummer abzulenken.

Nun gut, bei der Empfehlung, sich «Pretty Woman» anzuschauen, hatte ich seinen Geschmack wohl nicht hundertprozentig getroffen. Und bei «Arielle die Meerjungfrau» ließ er sich nicht mal überreden, die DVD im Regal zu suchen. Aber er musste zugeben, dass die Lektüre von «Asterix und Kleopatra» und «Asterix bei den Belgiern» fast immer zu augenblicklicher Besserung der Laune führt.

Im Gegenzug versorgt mich Andreas mit Berlin-Adressen. Bevor ich das erste Mal das Haus verließ, kannte ich den besten Thailänder am Prenzlauer Berg, den «Fettnapf» – die beste Frittenbude, den schönsten Wochenmarkt, und ich hatte drei Telefonnummern von Freunden von Andreas, die sich bereit erklärt hatten, mit mir auszugehen – wenn es denn unbedingt sein müsse.

Und dank Andreas kannte ich den besten Döner-Laden Berlins, der dazu noch rund um die Uhr geöffnet war. Bereits mehreren Abenden, die einsam zu werden drohten, hatte ich im «Grill- und Schlemmerbuffet» am Rosenthaler Platz noch eine positive Wendung geben können. Der Döner dort ist absolut knorpelfrei und einer der leckersten, die ich je gegessen habe. Ich darf mich auf diesem Gebiet als Spezialistin bezeichnen, denn Döner ist für mich das Größte. Nichts macht mich so schnell glücklich wie der Biss in einen guten, großen Döner mit viel Tzatziki und Zwiebeln.

Ich habe mir tatsächlich schon morgens um vier an den wackeligen Stehtischen des «Grill- und Schlemmerbuffets» den Kummer weggegessen. Da stand ich dann, gleich vor den beiden Spielautomaten, am abgeschabten Holzstehtisch, und schon der Anblick des schwitzenden, sich langsam drehenden, riesigen Fleischspießes stimmte mich dankbar und andächtig.

Ich verstand Andreas gut, dass er gebeten hatte, ich möchte ihm nicht länger von meinen nächtlichen Döner-Gelagen berichten. Er habe kaum Heimweh, aber der Gedanke ans «Grill- und Schlemmerbuffet» sei eine Qual.

Welcher Liebeskummer Andreas zur Flucht aus Berlin bewogen hat, weiß ich nicht. Aber irgendwann werde ich ihn danach fragen. Jedenfalls sind wir auf eine besondere Weise fremde Freunde geworden.

Lustmolch war nach der vierten Runde Sekt offensichtlich zu der Ansicht gelangt, dass wir Freunde werden sollten. Er senkte seine Stimme so tief wie möglich, sah mir verschwörerisch in die Augen und fragte: «Da du offensichtlich nicht Sexgott siebenundzwanzig bist, wer bist du dann? Egal, was du heute Abend erleben wolltest, mit Sex hätte das mit Sicherheit nicht das Geringste zu tun gehabt.»

Dabei musterte er mich und meinen Ausschnitt mitleidig.

«Wie meinst du das?»

Hätte ich meine Bluse doch einen Knopf weiter aufmachen sollen? Und die schwarze Hose? Zu seriös? Die Schuhe zu flach? Die Kette zu bieder?

«Ich hatte keine Zeit, mich groß umzuziehen.» Ich hatte seit dem frühen Nachmittag etwa acht verschiedene Kombinationen probiert.

«Also mich brauchst du wirklich nicht anzulügen, Süße. Die Frau muss erst noch geboren werden, die sich keinen Kopf macht, was sie bei der ersten Verabredung anzieht. Wenn das jemals was werden soll mit deinen Blind Dates, solltest du dringend die Schuh-, Dekolleté- und Po-Frage checken. So, und jetzt möchte ich mich erst mal richtig vorstellen: Erdal Küppers. Wohnhaft in Hamburg, aber als Lustmolch auf Jagd in Berlin.»

«Angenehm. Linda Schumann. Neu-Berlinerin und als ‹Paprika› erstmals auf Jagd.»

«Paprika? Feurig! Scharf! Puszta! Sex! Also der Name ist spitze. Er passt nur leider nicht zu dir. Aber das werden wir ändern!»

«DAS SCHICKSAL KLINGELT NICHT AN DER HAUSTÜR. JEDENFALLS NICHT AN MEINER»

Ich öffne die Tür – und höre mich schreien. Das war mir natürlich schon in der nächsten Sekunde peinlich, aber ich bin nun mal schrecklich schreckhaft.

Der fremde Mann vor meiner Tür sieht zwar nicht zwielichtig aus, aber der Sushi-Bote ist er definitiv nicht.

«Entschuldigung, ich wollte Sie nicht erschrecken», sagt er und hält, als würde das irgendwas erklären, eine Tasse in die Höhe. «Ich bin heute im ersten Stock eingezogen. Ich habe mich schon das halbe Treppenhaus hochgeklingelt, aber Sie scheinen die Einzige zu sein, die am Freitagabend zu Hause ist.»

Ich finde, das klingt irgendwie abwertend, und plötzlich werde ich mir meines unvorteilhaften Outfits bewusst.

Ungeschminkt in Hüttenschuhen mit grünem Zopfmuster: Mit diesem Styling möchte niemand einem neuen Hausbewohner gegenübertreten, dessen Schläfen auf genau die Art grau meliert sind, wie man es sonst nur aus Werbespots für schonenden Kaffeegenuss kennt.

Ich hoffe bloß, dass Erdal auf dem Sofa liegen bleibt und den ohnehin verheerenden Eindruck nicht noch verschlimmert.

«Wer ist das?» Erdal steht direkt hinter mir. Über Jeans und

Pullover trägt er meinen Bademantel – ein älteres, inzwischen leicht fransiges Modell in ehemals Apricot – und, ich möchte auf der Stelle im Erdboden versinken, weiße Handschuhe! Die gleichen wie ich, wie mir entsetzt einfällt. Auch das noch. Hier ist nichts mehr zu retten.

Erdal hatte dieses neuartige «Hand-Repair-System» von seiner Kosmetikerin in Hamburg empfohlen bekommen. Erst trägt man die «Super rich anti-aging hand-lifting-Maske» auf die Hände auf, dann streift man die von innen beschichteten Spezialhandschuhe darüber, die den Lifting-Effekt um sagenhafte fünfundvierzig Prozent steigern sollen.

Die vorgeschriebene Einwirkzeit ist noch lange nicht vorüber, aber ich ziehe es vor, die Handschuhe diskret hinter meinem Rücken auszuziehen.

Der Unbekannte vor meiner Tür sieht so erwachsen aus. Die meisten Männer, die ich kenne, sehen nicht erwachsen aus. Und sie sind es auch nicht, und zwar unabhängig davon, wie alt sie sind.

Ich weiß nicht, woran es liegt, aber früher waren die Leute mit Mitte dreißig älter als heute. Früher gab es den Begriff «junge Erwachsene». Die dazu passenden Menschen sind aber irgendwie ausgestorben.

Mein Vater hat sich nicht gefragt, ob er mit achtunddreißig schon bereit sei, Verantwortung für eine Familie zu übernehmen, oder welche Turnschuhmarke zurzeit modern ist. Mein Vater hatte da schon zwei Kinder, den Beruf, den er bis zur Rente behalten würde, und trug die Schuhe, die ihm meine Mutter kaufte.

Irgendwann ist es uncool geworden, erwachsen zu sein, und es erschienen Magazine, die auf dem Cover mit der Losung «Eigentlich sollten wir erwachsen werden» werben. Ich könnte spontan mindestens fünf Leute Ende dreißig aufzählen, die sich begeistert eine Zeitschrift mit dem Slogan kaufen würden: «Eigentlich hätten wir schon vor zehn Jahren erwachsen werden sollen.»

Jetzt bin ich mit Männern zusammen, die so alt sind wie mein Vater, als ich fünfzehn war. Die überlegen, den Beruf oder die Stadt zu wechseln. Oder die gar keinen Beruf haben und erwägen, ein paar Jahre im Ausland zu jobben oder ein Zweitstudium zu machen oder vielleicht lieber doch mal «was ganz anderes».

Ich habe so die Nase voll von Typen, die einen Job haben statt einen Beruf, die «Projekte in der Pipeline» haben oder «projektbezogen auf Honorarbasis» arbeiten. Ganz zu schweigen von den Idioten, die schon ihr halbes Leben hinter sich haben, aber immer noch zögern, sich auf eine «feste Beziehung» einzulassen.

Alle sind unheimlich flexibel und mobil, aber niemand will sich festlegen. Zumindest noch nicht. Später vielleicht. Aber irgendwie ist später meistens zu spät. In unserem unerwachsenen Dasein dauert nichts mehr richtig lange. Wer so irre mobil ist, der ist meistens schon wieder unterwegs, bevor es ernst werden könnte. Es gibt ihn nicht mehr: den Beruf fürs Leben, den Mann fürs Leben, den Freund fürs Leben. Nicht einmal mehr Jeans kann man länger als eine Saison tragen.

Männliche Endvierziger hängen mittags mit bemüht asymmetrischen Frisuren in Cafés rum und überlegen, wie sie das Erwachsenwerden verschieben können – auf einen Zeitpunkt, wo unsereins schon in die Wechseljahre kommt und jeder Eisprung ein Grund zum Anstoßen ist.

Wir sind verdammt dazu, neugierig und jung zu bleiben, immer aufgeschlossen für Neues, für Veränderungen, für Entwicklungen. Ist ja auch gut und richtig und bewahrt einen vorm Gelangweiltsein und vorm Langweiligwerden. Aber sei mal gleichzeitig offen für alles Neue und trotzdem zufrieden mit dem, was du hast. Nicht so leicht.

Wer mit offenen Augen durch die Welt geht, sieht wahrscheinlich auch mal was, was ihm besser gefällt als das, was er hat.

Winterstiefel zum Beispiel. Wie kann man sich ärgern, wenn man bereits im August ein nicht ganz billiges Paar kauft, von dem man hundertprozentig sicher ist, dass einem im Leben nichts Besseres mehr passieren kann. Und dann siehst du im Oktober ein ähnliches Paar. Bloß schöner. Und billiger. Wenn ich glaube, die richtigen Stiefel gefunden zu haben, versuche ich, Schuhgeschäfte zu meiden, um nicht eines Besseren belehrt zu werden. Augen zu. Oder Straßenseite wechseln.

Die Frage ist natürlich, ob man mit Lebenspartnern genauso verfahren sollte. «Unbedingt!», meinte meine Freundin Silke, als wir das Thema diskutierten. Der beste Rat ihrer Oma sei gewesen: «Wenn du einen Mann hast, und du siehst einen anderen, der dir besser gefällt, nimm die Beine in die Hand und renn weg.»

«Aber der andere könnte doch dein Schicksal sein», wandte ich ein. «Vielleicht würdest du mit ihm viel glücklicher werden als mit dem, von dem du bis eben noch dachtest, du seist glücklich mit ihm.» Bei Winterstiefeln sehe ich einen gewissen Pragmatismus ein, aber in Sachen Liebe und Schicksal bin ich dann doch eher der romantische Typ.

Silke war vom Standpunkt ihrer Oma nicht abzubringen.

«Das ist vollkommen naiv. Wir sind doch wirklich alt genug, zu wissen, dass es perfekt sowieso nicht gibt. Ich weiß, dass meine Putzfrau nicht unterm Sofa wischt. Aber ich weiß auch, dass die nächste dafür vielleicht nicht bügeln kann. Niemand kann alles. Irgendwas vermisst du immer. Also nicht wechseln, nicht die Putzfrau und nicht den Mann.»

Ich für meinen Teil habe gar keine Putzfrau, die ich wechseln könnte. Und die Frage, ob ich meinen Mann wechseln möchte, stellt sich ja nun bedauerlicherweise auch nicht mehr.

Der Mann an meiner Tür sieht aus, wie ich mir den Vorstandsvorsitzenden eines börsennotierten Unternehmens vorstelle, aber Erdal scheint sich der Lächerlichkeit unserer Lage nicht bewusst zu sein. «Na, dann herzlich willkommen in der Belfortstraße», sagt er fröhlich und reicht dem Mann gedankenlos seine behandschuhte Pranke.

Das bringt mich in Zugzwang, und der bedauernswerte Mann muss meine schmierige, cremedurchweichte Hand schütteln. Unsere Hände trennen sich mit einem leisen, anzüglichen Schmatzgeräusch – wie zwei Körper, die lange verschwitzt aufeinander gelegen haben.

«Ich wollte fragen, ob Sie mir vielleicht mit etwas Kaffee aushelfen könnten. An alles hat meine Frau gedacht, bloß das Kaffeepulver hat sie vergessen einzupacken.»

«Natürlich», sage ich und schlurfe betrübt mit seiner Tasse in die Küche. Natürlich ist so was verheiratet. Natürlich läuft so was nicht frei rum, klingelt freitagabends an meiner Tür, um mir trotz Hüttenschuhen für immer zu verfallen. Natürlich nicht. So einer ist ja erwachsen. Der hat den Job und die Frau fürs Leben.

Ich weiß schon, warum ich lieber nicht mit dem Besonderen rechne.

Weil das Besondere eben nicht passiert.

Jedenfalls nicht mir.

Und das Schicksal klingelt nicht an der Haustür.

Jedenfalls nicht an meiner.

«Jetzt sei doch nicht so unglücklich, Linda. Ich kann es nicht ertragen, dich so leiden zu sehen. Schon gar nicht, wenn es mir selbst so schlecht geht. Reichst du mir mal das Thunfisch-Sashimi?»

Erdal trägt immer noch die weißen Handschuhe und tut sich demzufolge mit den Stäbchen etwas schwer.

«Ich fürchte, ich komme nie über ihn hinweg», sage ich traurig in die Miso-Suppe.

«Über den Herrn aus dem ersten Stock? Ein lecker Schnuckelchen, das muss ich zugeben. Ich schätze ihn auf Mitte vierzig, und er hat gute Gene, das sieht man gleich.»

«Quatsch! Ich rede von meinem Exfreund Draco. Jetzt bin ich schon fünf Wochen in Berlin, und mein Liebeskummer ist immer noch unerträglich. Ich habe überhaupt keinen Hunger mehr.»

«Das ist die richtige Einstellung, Linda. Du musst die Sache positiv sehen. Mir schlägt Kummer ja leider überhaupt nicht auf den Magen. Im Gegenteil. Ich bin also doppelt gestraft: Mein Freund betrügt mich mit einem anderen, ich werde vor lauter Gram immer dicker und gebe ihm so immer weniger Grund, zu mir zurückzukehren. Du hingegen näherst dich dank Liebeskummer deinem Idealgewicht. Deshalb solltest du froh sein, dass du diesen bescheuerten Typ endlich losgeworden bist.»

«Nicht ich bin ihn losgeworden. Er ist mich losgeworden.»

«Ach komm, das sind doch Haarspaltereien. Du weißt wenigstens, woran du bist. Die Sache ist vorbei, und du kannst anfangen, zu jammern, zusammenzubrechen, deine Freundinnen voll zu heulen – das übliche Programm eben. Und irgendwann ist es durchgestanden, und du suchst dir den Nächsten. Aber was soll ich sagen? Mich hat man aufs Abstellgleis geschoben, um mich bei Bedarf eventuell wieder hervorzuholen. Mein Freund will sich über seine Gefühle klar werden. Er sagt, er brauche Abstand von mir, weil er sich so zerrissen fühle. Ich solle Geduld haben. Das, Schätzchen,

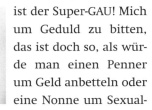

ist der Super-GAU! Mich um Geduld zu bitten, das ist doch so, als würde man einen Penner um Geld anbetteln oder eine Nonne um Sexualaufklärung anflehen. Das muss Karsten doch wissen, was er mir damit antut.»

«Geduld ist die Tugend des Revolutionärs.»

Ich habe den Satz von Andreas, und der hat ihn, glaube ich, von Che Guevara.

«Wo hast du das denn geklaut? Hör mir bloß auf mit so einem angelesenen Scheiß.»

«Deine Chancen, Karsten wiederzubekommen, steigen, wenn du ihm genau das gibst, was er haben will: Zeit. Es wird ihn beeindrucken, dass du dich ihm zuliebe so zusammenreißen kannst. Die Formel ist ganz einfach: Halt dich zurück, und du kriegst ihn zurück.»

«Das entspricht aber nicht meinem Gemüt.»

«Ich weiß. Trotzdem, jetzt bloß keine kopflosen Aktionen. Keine Anrufe, keine spontanen Besuche, keine Szenen. Mit Geduld ist es nicht wie mit Glück, Talent oder schwerem Knochenbau – Geduld ist eine Frage der Disziplin. Geduld kann jeder haben.»

Es ist doch immer wieder erstaunlich, mit welcher Selbstverständlichkeit man Freunden Ratschläge gibt, an die man sich selbst noch nie gehalten hat.

Geduld kann jeder haben? Wenn ich das schon höre! Dass ich so was überhaupt so schamlos über die Lippen bringe. Man kann eben wunderbar weise reden, wenn man sich nicht entsprechend verhalten muss.

Aber so gehört sich das unter Freundinnen: Wenn du ihr sagst: «Ruf ihn bloß nicht an», ist euch beiden bereits völlig klar, dass sie sofort zum Hörer greifen wird, sobald du aus der Tür bist – so wie du es auch getan hast, als es ihre Aufgabe war zu sagen: «Ruf ihn bloß nicht an.»

Das macht eine Frauenfreundschaft aus: sich immer wieder gegenseitig den richtigen Rat geben, sich immer wieder gegenseitig verzeihen, dass dieser Rat nicht befolgt wird, und sich immer wieder gegenseitig dabei unterstützen, die daraus resultierenden unerquicklichen Folgen zu überstehen.

Erdal betrachtet bedrückt die Seetangröllchen. «Am besten bleibe ich ein paar Tage in Berlin und wohne bei meiner Mutter. In Hamburg würde ich durchdrehen. Da erinnert mich alles an Karsten. Er wohnt ja auch noch direkt bei mir um die Ecke. Das ist wie Diätmachen, und im Kühlschrank steht noch Mousse au Chocolat.»

«Musst du denn nicht arbeiten?», frage ich, denn Erdal hatte mir erzählt, dass er seit einem Jahr Mitinhaber der Catering-Firma «Food.com» sei.

«In den nächsten zehn Tagen haben wir nur Events bis vierzig Personen auf dem Zettel, da kann ich ruhig mal fehlen. Und bis dahin wird sich der werte Herr Karsten ja hoffentlich über sein Gefühlsleben klar geworden sein. Wehe ihm, er kehrt zu mir zurück. Dann wird dieser elende Rumtreiber büßen müssen.»

«Vielleicht solltest du nicht komplett verdrängen, dass du Karsten auch betrügen wolltest. Du fährst nach Berlin, nennst dich Lustmolch und verabredest ein Blind Date, um ein Abenteuer zu erleben. Findest du nicht, dass du verdammt im Glashaus sitzt?»

«Erstens habe ich kein Abenteuer erlebt, sondern nur dich kennen gelernt. Zweitens war ich in erster Linie in Berlin, um meine Mutter zu besuchen. Und drittens ist das bei mir sowieso was ganz anderes. Ich bin schlichtweg nicht der treue Typ. Ich verschenke mich eben gern. Was ist denn das für eine

Show, bei der nur einer zuschaut? Karsten ist da anders. Wenn der einmal untreu ist, dann hat das sofort was zu bedeuten. Er behauptet, er habe mich nicht betrogen, aber es gäbe da jemanden, der seine Gefühle verwirrt habe. Wer glaubt denn so was?»

«Du sagst doch immer, Karsten sei ein Bilderbuchpolizist: besonnen, ausgeglichen und verantwortungsvoll. Kann es nicht sein, dass er ganz einfach die Wahrheit sagt?»

«Was für eine absurde Theorie. Ich gehe davon aus, dass er lügt. So wie jeder andere normale Mensch auch.»

«KANNST DU DIR VORSTELLEN, DASS ICH MIR NICHT VORSTELLEN KANN, OHNE DICH ZU SEIN»

Ich hatte tatsächlich nicht damit gerechnet, belogen zu werden. All die Hinweise und Ungereimtheiten hatte ich treudoof übersehen. Wollte ich nichts merken? War es Selbstschutz? Weil: Aus etwas, was man nicht weiß, muss man ja auch keine Konsequenzen ziehen.

Keine Ahnung. Ich hab's jedenfalls erst kapiert, als ich den Beweis direkt vor der Nase hatte.

Wir waren seit fast vier Jahren zusammen, und ich hatte das beruhigende Gefühl, die Suche diesmal endgültig einstellen zu können. Nach drei längeren Beziehungen, einem Heiratsantrag, den ich abgelehnt hatte, und elf Sexualpartnern – darunter immerhin ein farbiger Ausländer – hatte ich mich mit Anfang dreißig frohgemut und erleichtert vom Markt verabschiedet. Kurz bevor ich nervös geworden wäre, hatte ich den Richtigen gefunden.

Unsere Beziehung war nicht perfekt, nicht mal annähernd. Aber wir hatten genau die durchschnittlichen Probleme, die in jedem Ratgeber diskutiert werden. Und das beruhigte mich irgendwie. Er redete ungern über Gefühle, hatte nie Schnupfen, sondern immer gleich eine böse Influenza, wollte im Prinzip gerne Kinder haben, aber später, und hatte auch nichts dagegen, mit mir zusammenzuziehen, aber später.

Wenn du diese Themen im Kreis aufgeschlossener Freundinnen anschneidest, folgt zunächst kollektives Kopfnicken, dann gemeinsames Klagen und schließlich die einstimmige Erkenntnis, dass es einen Defekt in den männlichen Genen gäbe, mit dem man sich abfinden müsse. Daraufhin wird die nächste Runde geordert.

Schlimm ist es um deine Beziehung dann bestellt, wenn deine Freundinnen sofort die nächste Runde bestellen, wenn du ihnen von deinen Problemen berichtest. Das Todesurteil ist, wenn sie eine Weile betroffen schweigen und dann Sachen sagen wie: «Das tut mir so Leid, und ich habe keine Ahnung, was ich dir raten soll.»

Wenn du ein Problem hast, das höchstens in Romanen, nicht aber in Frauenzeitschriften vorkommt, wenn dein Unglück nicht von der Stange ist, dann fühlst du dich ganz schön allein.

Ich denke zum Beispiel mit Schrecken an das entsetzte Gesicht von Silke, als ich ihr erzählte, dass ich Grund zur Annahme hätte, dass mein damaliger Freund Jochen F. regelmäßig das Bordell «Oase» besuchte. Und das, obschon wir erst drei Monate zusammen waren und noch entsprechend häufig Sex hatten. Eine Bekannte von mir, die im Reisebüro gegenüber der «Oase» angefangen hatte, war sicher, ihn mehrmals beim Rein- und Rausgehen gesehen zu haben.

«Das ist die maximale Demütigung!», hatte Silke schockiert gesagt. Noch schlimmer wurde es allerdings, als ich eine halbe Stunde nach unserem Gespräch relativ angetrunken die «Oase» betrat, um mir persönlich ein Bild zu machen. Es war der billigste Schuppen, den man sich überhaupt vorstellen kann. Im Empfangszimmer standen vier ausgefranste Korbstühle auf fleckiger Auslegeware, aus einer Glasschüssel neben Kasse und EC-Lesegerät konnte man sich Gratisbonbons nehmen. Die Empfangsdame, die mich relativ zurückhaltend begrüßte, trug einen kurzen, schwarzen Kimono und weiße Lacklederstiefel, dazu einen etwas zu üppig aufgetragenen Lippenstift, der in die Fältchen um ihren Mund gesickert war. Es sah so aus, als würden ihre Lippen auslaufen. In was für einem Film war ich hier gelandet?

Ich habe mir natürlich immer gewünscht, dass mich mein Leben mal an einen Film erinnern würde. Vorzugsweise an eine dieser romantischen Komödien, in denen sich die Heldin trotz ihrer perfekten Brüste ihre Natürlichkeit bewahrt hat und nach heiterem Wirrwarr in den Armen eines Wirtschaftsmagnaten mit viel Tagesfreizeit endet.

Ich aber stand verbittert in einem Puff mit Gratisbonbons an der Ausfallstraße Richtung Aachen. Dieser Film würde bei einem Sender laufen, den du nicht mal programmiert hast, angeschaut von einer Hand voll Zuschauern, von denen du jeden einzelnen nicht würdest ausstehen können.

Ich tat mir Leid. Und der Dame mit den auslaufenden Lippen tat ich wohl auch Leid, denn sie fragte nicht unfreundlich: «Was kann ich für Sie tun?»

Meine Antwort verblüffte mich selbst und wird heute noch gern in meinem Freundeskreis zitiert: «Haben Sie auch Geschenkgutscheine?»

Wie sich später rausstellte, war Jochen F. nie in der «Oase» gewesen. Meine Bekannte aus dem Reisebüro brauchte einfach nur neue Kontaktlinsen. Jochen F. trennte sich kurz danach von mir, weil er es eine Unverschämtheit fand, dass ich mir erstens vorstellen konnte, dass er überhaupt in den Puff ging und zweitens auch noch in einen so heruntergekommenen wie die «Oase».

Mit Draco gab es solche ungewöhnlichen Probleme nicht. Ich war zwar nicht vollends begeistert von unserer Beziehung, aber ich war vollends zufrieden. Ich hatte mich sozusagen im Vorort meiner Idealvorstellung niedergelassen. Und ich konnte mir durchaus vorstellen, mein Leben lang da zu bleiben.

Das änderte sich schlagartig, als ich ihre Füße sah. Nun, eigentlich waren es ihre Fußabdrücke.

Es war ein regenfeuchter Nachmittag, und ich hatte im Auto neben meinem Freund Platz genommen.

Ich versuchte, etwas durch das beschlagene Seitenfenster zu erkennen – bis ich langsam begriff, was ich da sah: einen Fußabdruck. Genauer: zwei Fußabdrücke. Noch genauer: zwei Abdrücke von nackten und noch dazu relativ kleinen Füßen!

Mit dir hat er sich das nie getraut, dachte ich. Und dann dachte ich nichts mehr. Sondern hörte mich nur noch mit eiskalter Stimme sagen: «Schatz, was würdest du sagen, von wem diese Fußabdrücke wohl stammen?»

Schatz antwortete nicht. Stattdessen drehte er hektisch das Gebläse auf die höchste Stufe. Die Fußabdrücke verschwanden innerhalb weniger Sekunden. Aber ich sah sie trotzdem noch. Ich sehe sie bis heute.

Mir war klar, dass es keine harmlose Erklärung geben konnte. Selbst ein Mann mit mehr Phantasie hätte sich bei dieser Indizienlage schwerlich rausreden können. Fast wünschte ich, ihm würde etwas Originelles einfallen, etwas, was ich glauben könnte. Soll er mir doch eine Geschichte auftischen, von der ich weiß, dass sie erlogen ist, mit der ich aber in relativer Würde weiterleben und weiterlieben kann.

Schatz fiel aber nichts ein. Schatz schwieg weiter. Dann sagte er: «Lass uns bei mir darüber reden.»

Waren die folgenden Minuten die schlimmsten meines Lebens? Oder waren sie nur die miese Einleitung für noch viel miesere Monate, Jahre, Dekaden? Ich saß starr neben ihm und fühlte, wie mein Herz zerriss.

Nicht so, wie man einen unerwünschten Werbezettel zerreißt oder einen Brief, über den man sich geärgert hat. Es war nicht dieser Pflasterschmerz, von dem man weiß, dass er einmal heftig aufblitzt und dann endgültig vorbei ist. Nein, ich sah mir beim Verbluten zu, so kam ich mir vor.

In den nächsten drei Monaten ließ ich keine Möglichkeit aus, mich komplett zum Deppen zu machen. Ich tat exakt das, was man nicht tun soll. Gerne auch mehrfach. Und, ich muss das zugeben, leider nicht immer in alkoholisiertem Zustand.

Jede meiner Freundinnen versuchte, mich davon abzuhalten, redete stundenlang auf mich ein, entwickelte ausgeklügelte Ablenkungsprogramme und stellte mich sämtlichen ihr bekannten Junggesellen aus dem Großraum Jülich vor. Das half aber nichts. Natürlich nicht. Das hilft ja nie.

Ich brauchte das volle Programm des Sichdemütigens, der Selbsterniedrigung, des «Können wir nicht nochmal drüber reden?». Gibt es nicht ein Lied mit dem Titel «Fifty Ways to Leave Your Lover»? Nun, wenn es fünfzig Wege gibt, deinen Lover zu verlassen, dann hatte ich mindestens siebzig Wege gefunden, zu ihm zurückzukriechen. Und dabei handelt es sich um eine konservative Schätzung. Ich verlor meine Würde in dieser Zeit öfter, als ich in meinem ganzen Leben meinen Haustürschlüssel verloren habe. Und darin macht mir so leicht keiner was vor.

Was soll ich zu meiner Rechtfertigung sagen? Nichts. Außer: Ich habe es nicht geschafft, das Ende zu akzeptieren. Mich darauf zu konzentrieren, alles zu tun, um mein Leid nicht unnötig zu verlängern. Ich habe es nicht geschafft, die Hoffnung aufzugeben. Keine SMS zu schicken. Und zwar von der Sorte, die man in der Sekunde zurückholen möchte, in der man sie abgeschickt hat.

Wenn ich bei meinem Handy «Nachricht senden» drücke, erscheint ein Briefumschlag, der sich schließt, um die Weltkugel fliegt und hinter ihr verschwindet. Mit jedem verschwindenden Umschlag – adressiert an den Mann, der in meinem Telefonbuch immer noch unter «1» gespeichert war – verschwand ein Stück von mir selbst.

Er hatte sich gegen mich entschieden. Vielleicht hätte ich ihn nicht so unter Druck setzen sollen am Abend der Fußabdrücke. Er hatte mir die Affäre gestanden.

Und ich hatte tobend folgende Bedingungen gestellt: Er beendet die Geschichte auf der Stelle. Dann lasse ich mich eventuell erweichen, über eine Fortsetzung unserer Beziehung nachzudenken.

Bei seiner Antwort dachte ich zunächst, ich hätte mich verhört

«Muss ich mich sofort entscheiden?»

«Darum würde ich doch sehr bitten!» Was, verdammt, hätte ich denn sonst sagen sollen? «Nein, Schnuffi, lass dir die Kleinigkeit ruhig ein, zwei Monate lang durch den Kopf gehen. Eilt ja nicht»?

Ich will doch keinen Mann, der Zeit braucht, um sich für oder gegen mich zu entscheiden! Wenn einer nachdenken muss, ob er mich liebt, dann liebt er mich nicht. So dachte ich. Mag sein, dachte ich später, dass ich falsch gedacht habe.

«Es tut mir Leid, Linda, aber dann ist es wohl aus mit uns.»

Jetzt bleibt dir nur noch ein guter Abgang, sagte ich mir. Ich trank mein Glas in einem Zug leer.

«Wir wollen ja nichts verkommen lassen. Tja, dann wünsche ich dir noch einen schönen Lebensabend.»

Schatz nickte. Schatz schwieg.

Ich schloss die Tür. Ging nach Hause. Setzte mich auf mein Sofa. Schaltete den Fernseher ein.

Nina Ruge sagte zu mir: «Alles wird gut.»

Und das war gelogen.

Mir ging es so schlecht, dass ich anfing, Briefe zu schreiben. In Zeiten, wo man üblicherweise SMS versendet oder Mails mit automatischer Rechtschreib- und Grammatik-Korrektur, ist alles Handschriftliche Zeichen eines außergewöhnlichen Gemütszustands.

Meine Briefe begannen alle mit «Lieber Draco». Mal legte ich ihm auf fünf DIN-A4-Seiten dar, warum ich niemals aufhören würde, ihn zu lieben, und insofern bereit sei, ihn zurückzunehmen, sobald dieses unwichtige Intermezzo mit der Kollegin Doris aus der Spesenprüfung vorbei sei.

Ich erklärte ihm, dass es eine durchaus verständliche Reaktion sei, nochmal einen kleinen Ausbruch zu riskieren, wenn man spürt, dass es langsam ernst wird. Insofern sei seine Affäre ein deutlicher Hinweis auf die Ernsthaftigkeit und Tiefe seiner Gefühle mir gegenüber.

Dann wieder folgten auf «Lieber Draco» seitenlange Beschimpfungen und die Mitteilung, dass ich der glücklichste Mensch der Welt sei, seit ich nicht mehr auf seine schlechten

Eigenschaften Rücksicht nehmen müsse. Detailfreudig beschrieb ich ihm seinen mangelhaften Charakter und dass es in meinen Augen mehr braucht, um ein männlicher Mann zu sein, als eine Dauerkarte für «Alemannia Aachen». Ich sagte ihm endlich, wie dämlich es ist, Beziehungsdiskussionen zu beenden mit dem Wort «Sportschau-Zeit». Und ich teilte ihm schwarz auf weiß mit, dass ich stilles Wasser hasse und dass ich ihm nie verzeihen werde, dass er sich das nach vier Jahren immer noch nicht gemerkt habe.

Mit der Kollegin Doris aus der Spesenprüfung wünschte ich ihm von ganzem Herzen alles Gute und dass er mit ihr so glücklich werde, wie ich es ohne ihn bereits sei.

Manchmal schrieb ich ihm auch die Wahrheit.

Lieber Draco,

weißt du, was das Schlimme ist? Es gibt keine Ablenkung. Egal, was ich tue, egal, was ich sehe: Alles erinnert mich an dich.

Neulich musste ich beim Bäcker beim Anblick von Rosinenbrötchen weinen. Warum? Weil wir niemals zusammen Rosinenbrötchen gegessen haben. So weit ist es gekommen, dass mir jetzt schon die Dinge wehtun, die gar nichts mit dir zu tun haben. Weil mich etwas nicht an dich erinnert, erinnert es mich an dich. Und das heißt: Ich bin nirgends sicher vor dir! Was sollte ich auf den Seychellen? Ich würde dort ständig daran denken, dass wir niemals zusammen dort waren. Das Geld kann ich sparen beziehungsweise sinnvoller in Alkohol, traurige Lieder und stundenlange Telefonate mit Silke investieren.

Weißt du, was mir gestern aufgefallen ist? Die Hintergrundmusik in unserem Supermarkt, der, wo es den Joghurt gibt mit den Cerealien und den Digestivum-Essensis-Kulturen, die die Verdauung anregen sollen. Hast du jemals darauf geachtet, was die einem da für Musik zumuten? Ich wäre fast beim Leergut zusammengebrochen, weil sie «Touch Me in the Morning» von Diana Ross spielten:

«We don't have tomorrow, but we had yesterday.»

Diese Zeile hat mich schon mit neunzehn fast um den Verstand gebracht, als Thomas M. mich verlassen hatte – und der hatte noch nicht mal eine andere, was die Sache fast noch schwerer zu ertragen machte.

Aber bis du eine Neue hast, könntest du doch auch bei mir bleiben!

Das hatte ich damals tatsächlich gedacht. Und ich fürchte, ich habe das womöglich in einem unbewachten Moment auch zu ihm gesagt.

Kinderschokolade esse ich jetzt übrigens gar nicht mehr. Was einerseits natürlich daran liegt, dass sie mich an unsere erste Zeit erinnert. Die Zeit, als jede Begegnung zwischen uns noch ein Fest war. Schokolade in der Küche und Rosé-Champagner im Bett. Reden bis zum Sonnenaufgang. Man muss sich ja zwei komplette Leben erzählen, sich einander vertraut machen, Körper erkunden und Vergangenheiten, Kinderfotos und Plattensammlungen anschauen.

Sich erst wundern über Eigenschaften und dann entscheiden, sie mitzulieben. Ich habe dir Senfeier gekocht, die ersten meines Lebens, weil du sagtest, sie würden dich an zu Hause erinnern. Und ich wollte doch dein Zuhause sein.

Alles war außergewöhnlich. Auch mein Kalorienkonsum.

Zwischendurch habe ich immer versucht, das wieder runterzuhungern, was ich an den Abenden mit dir zugenommen hatte. Auf Dauer ist das ja nicht wirklich gelungen. Weil die Abende mit dir keine Ausnahme mehr waren. Statt Rosé-Champagner im Bett tranken wir später Weißweinschorle vorm Fernseher. Nur mein Schokoladenpensum hat sich nicht mit reduziert, zumal ich im Laufe des zweiten Jahres den Eindruck hatte, du würdest mich auch mit ein paar Kilos mehr am Leib lieben. Hast dich ja nie beschwert. Ich mich dafür allerdings umso mehr.

So ist das eben. Entweder man trennt sich beizeiten, oder es wird halt gewöhnlich. Aber weißt du, ich mag gewöhnlich. Und ich finde es schöner, wenn man sich gemeinsam mit jemandem an die erste aufregende Zeit erinnert, als ständig neue aufregende Zeiten zu erleben. Auf die kann man nämlich mit niemandem gemeinsam zurückblicken.

Jetzt muss ich mich allein erinnern. Und das tut mir weh, in jedem einzelnen Moment. Ich hatte fast vergessen, wie lange Sekunden und Minuten dauern können. Ewig.

Ach ja, die Schokolade. Der zweite Grund, warum ich keine mehr esse, ist, dass mit dir auch der Hunger aus meinem Leben verschwunden ist. Das hat den Vorteil, dass ich jetzt wieder so viel wiege, wie als ich anfing, mit dir Schokolade zu essen. Der Nachteil ist nur, dass ich mich nicht darüber freuen kann.

Warum schlank sein, wenn du mich nicht berührst? Warum gut aussehen, wenn du mich nicht siehst? Kannst du dir vorstellen, dass ich mit Idealgewicht – verzeih mir bitte diesen dehnbaren Begriff – traurig auf der Waage stehe? Kannst du dir vorstellen, dass ich in Restaurants jetzt freiwillig Salat mit Hähnchenbruststreifen und ohne Brotkorb bestelle und davon die Hälfte wieder zurückgehen lasse? Kannst du dir vorstellen, dass ich morgens um vier meine Wohnung putze, weil Kummer im Liegen noch viel schlechter zu ertragen ist?

Kannst du dir vorstellen, dass ich mir nicht vorstellen kann, ohne dich zu sein?

Wahrscheinlich nicht.

Deine Linda.

Das wirklich Gute an diesem und den vielen anderen Briefen an Draco war, dass ich sie niemals abgeschickt habe.

«WENN DU HIER KEINEN ABSCHLEPPST, SCHAFFST DU ES NIRGENDWO»

Es gibt verschiedene Theorien über den Liebeskummer und seine Bewältigung. Und ich habe mich mit allen ausführlich beschäftigt. Männer zählen meist zur Gruppe der «Ablenker», während die weibliche Strategie eher als konfrontativ zu beschreiben ist. Alle Theorien sind in einem Punkt gleich: Das Einzige, was die Wunden heilt, ist:

1. die Zeit – wenn du Pech hast. Oder
2. eine neue Liebe – wenn du Glück hast.

Erdal meinte, ich solle das eine mit dem anderen verbinden: mir die Zeit durch angenehme Ablenkungen verkürzen und gleichzeitig beste Bedingungen schaffen, um «potenzielle Lebenspartner zu casten», wie er es nannte.

Wir kannten uns keine zwei Wochen, als er sich nach einem Besuch bei seiner Mutter im tiefsten Berliner Westen mit bedeutsamem Blick auf mein Sofa plumpsen ließ.

«Linda, ich bringe Heilung. Wir fahren in einen Single-Club!»

«Du bist kein Single, Erdal. Und für mich bevorzuge ich die Bezeichnung ‹derzeit getrennt lebend›. Wie kommst du überhaupt auf die Club-Idee?»

«Karsten ist nächste Woche für vier Tage auf Fortbildung. Du hast Liebeskummer, und wie das Schicksal manchmal so spielt, habe ich eine Cousine, die vor ein paar Monaten stellvertretende Chefin eines Single-Clubs in der Türkei geworden ist. Das Durchschnittsalter ist zweiunddreißig. Der Männeranteil liegt bei mehr als sechzig Prozent, Kinder müssen draußen bleiben, die Strandliegen werden nicht für tagsüber reserviert, sondern für die Zeit nach Mitternacht, und ein Angestellter ist nur dafür da, das Clubgelände von Kondomen zu säubern. Linda, wenn das nicht das Paradies ist für ein spätes und einsames Mädchen wie dich!»

ZU ZWEIT ■■■■
ALLEIN ■■■■■
ALLEIN MIT KIND ■
FAMILIE MIT KIND BIS 12 J. ■
FAMILIE MIT JUG. AB 13 J. ■■■■
■■■■ KOMFORT
■■■■ LAGE
■■■■ STRAND
■■■■■ WELLFIT®
■■■■ FITNESSRAUM

«Ich muss arbeiten. Und du doch wohl auch.»

«Für mich ist das Arbeit, Schätzchen. Der Club ist berühmt für seine Themen-Buffets. Die will ich mir anschauen und eventuell den Küchenchef abwerben. Ich habe gehört, der will sich verändern – unserer will sich auch verändern. Das habe ich beschlossen, weil der Mann eine verhängnisvoll innige Beziehung zu krauser Petersilie unterhält. Und was dein ‹Ich muss arbeiten› angeht – es kann dir doch völlig egal sein, wo du diesen beknackten Roman übersetzt.»

Da hatte er eigentlich Recht. Zudem war ich ganz gut vorangekommen. Ich hatte mich, wie allseits empfohlen, in die Arbeit gestürzt und würde vor dem Abgabetermin fertig sein.

Besonders abgelenkt hatte mich die Übersetzung von «The last Time» allerdings nicht, da es sich um ein herzzerfetzendes, fünfhundert Seiten langes Liebesmelodram handelte, das mich natürlich in jeder Zeile an mein bitteres Los erinnerte. Für den deutschen Titel «Kuss ohne Wiederkehr» bin ich übrigens nicht verantwortlich, falls jemand den Roman mal in einer Buchhandlung sehen sollte.

«Ich kann mir einen teuren Club-Urlaub nicht leisten, Erdal. Als freie Übersetzerin ist man auf Campingplätzen angemessen aufgehoben.»

«Der Flug mit Ryan Air nach Antalya kostet neunzehn Euro, allerdings ab Lübeck. Der Aufenthalt ist dank meiner Cousine umsonst. Sie schlägt uns einer Gruppe Reisejournalisten zu, die sich da aushalten lassen. Ach komm, lass uns fahren. Ich sage nur ein Wort: Männerüberschuss!»

Bereits am ersten Abend im Club «Camyuva» wurde ich von einer männlichen Person angesprochen. Das steigerte die durchschnittliche Häufigkeit, mit der ich in den letzten fünf Jahren angesprochen worden war, um exakt hundert Prozent. Ich war entsprechend überrascht, zumal ich so derartig übellaunig war, dass nicht einmal ich selbst den Kontakt zu mir gesucht hätte.

Am Flughafen in Lübeck hatte Erdal mir Karsten vorgestellt. Er war zwei Köpfe größer als Erdal, breitschultrig und muskelbepackt.

Von hinten sah er aus wie jemand, mit dem man lieber

keinen Ärger haben möchte. Sein Gesicht allerdings sah so unerschütterlich freundlich und gutmütig aus, dass man sich sofort von ihm adoptieren lassen wollte.

Ein Fels in der Brandung, ein in sich ruhender und ausgeglichener Mensch mit offensichtlich gutem Charakter, der dazu noch mit Schusswaffen umgehen kann und Herzmassage beherrscht: Mit so einem ist man immer in Sicherheit.

Erdal hingegen, der wahrscheinlich noch niemals in seinem Leben auch nur eine Sekunde lang in sich geruht hatte, war nervös wie nie zuvor.

Karsten legte mir seine riesige Hand auf die Schulter.

«Erdal hat Flugangst, aber ihr schafft das schon. Versuch, es so zu sehen: Was Erdal heute für die allerschlimmste Katastrophe seines Lebens hält, erzählt er morgen als Anekdote. Wenn du das erst mal begriffen hast, lässt sich einiges aushalten.»

«Was meinst du mit ‹aushalten›? Willst du andeuten, es gäbe in unserer Beziehung ein Ungleichgewicht zwischen Geben und Nehmen? Findest du, ich bin ein Pflegefall? Falle ich dir zur Last? Na bravo, lieber Karsten, da hast du dir ja genau den richtigen Moment ausgesucht, mir das mitzuteilen. Sehr sensibel von dir, wie immer. Ich denke, ein paar Tage Abstand werden uns ganz gut tun. Ich für meinen Teil werde darüber nachdenken, ob ich unsere Beziehung unter diesen Umständen überhaupt noch weiterführen will. Kommst du, Linda? Der Check-in schließt.»

Erdal setzte sich und seinen riesenhaften Rollkoffer in Bewegung.

«Das meinte ich mit ‹aushalten›», sagte Karsten. «Erdal ist jetzt hypernervös, und Streit lenkt ihn von seiner Angst ab. Wir trennen uns vor jedem Abflug, aber das hat nichts zu bedeuten. Guten Flug, Linda.» Ich sah Karsten wehmütig nach und folgte Erdal mit mulmigem Gefühl zum Abflugschalter.

«Zusammen haben Sie achtzehn Kilo Übergepäck», sagte die Frau am Check-in. «Macht für jeden zweiundfünfzig Euro.»

Zweiundfünfzig Euro? Was für eine Unverschämtheit. Bei diesen Erpresserpreisen ist ja klar, warum das gesamte Ticket nur lächerliche neunzehn Euro gekostet hat. Wahrscheinlich würde man zehn Euro zahlen müssen, um das Bordmagazin durchblättern zu dürfen.

Gut, ich gebe zu, dass ich schon beim Kofferpacken das Gefühl hatte, nicht ganz, sagen wir mal: effektiv vorzugehen.

Aus mangelnder Entscheidungsfreude entschied ich mich mal wieder, mich nicht zu entscheiden. Warum vier der fünf vorhandenen Sommerkleider zu Hause lassen? Und wozu hat man denn drei Paar Zehensandalen? T-Shirts kann man sowieso nie genug dabeihaben. Und falls es abends frisch wird, gehört unbedingt auch was zum Überziehen ins Gepäck. Ein Pullover zum Beispiel. Und eine Jeansjacke. Und eine Strickjacke sollte auch nicht fehlen.

Ich habe es einfach nicht so gern, entscheiden zu müssen. Und das gilt eigentlich für jeden Lebensbereich. Ich bin der Typ, der im Restaurant tagelang braucht, um die Bestellung aufzugeben, und nachher trotzdem unglücklich auf die Teller der anderen glotzt.

Was ist das auch für eine Qual, sich für das Lamm in Semmelbröselkruste und damit gleichzeitig gegen das Zitronenhühnchen, das Kalbsgeschnetzelte und die vier allesamt köstlich klingenden Fischgerichte zu entscheiden!

Als wir die Abflughalle erreicht hatten, begann Erdal sein Anti-Panik-Programm. Zwanzig Minuten vor Abflug, so hatte er in diversen Feldstudien herausgefunden, mussten auf leeren Magen zwei Gläser Sekt eingenommen werden. An Bord hatte alle fünfundvierzig Minuten ein weiteres Glas zu folgen.

Das Problem war, dass unsere Maschine anderthalb Stunden auf dem Rollfeld warten musste.

Erdal wurde zusehends ängstlicher. Und auch ich. Ich bin wirklich nicht der Typ, der Ruhe bewahrt. Gelassen bin ich unter keinen Umständen. In jedem Katastrophenfilm würde man mir die Rolle der hysterischen Kuh zuweisen, die allen mit ihrem Gekreische auf die Nerven geht und als Erste vom Tsunami mitgerissen oder aus dem Hochgeschwindigkeitszug geschubst wird.

Nach dem Start bestellte Erdal Whisky auf Eis und holte seine Tasche aus dem Gepäckfach.

«Jetzt hilft nur noch Notfallmedizin! Diese unzuverlässigen Menschen im Cockpit haben mit ihren Verzögerungen mein Beruhigungskonzept komplett durcheinander gebracht. Das hat man nun von diesen gottverdammten Billigfliegern!»

Ich rechnete mit Valium, Tavor rapid, Äther, Spritzbesteck, einer kompletten Anästhesieausrüstung – aber aus Erdals Tasche kam ein Fläschchen mit moosgrüner Flüssigkeit zum Vorschein: «Wick Medinight – der Erkältungssaft für die Nacht».

Ich war erleichtert, denn ich hatte befürchtet, Teil einer Aufsehen und Unmut erregenden Aktion zu werden.

«Und das hilft dir?»

«Zu Hause schlafe ich davon in zwanzig Minuten ein. Mit dem Whisky müsste das Zeug noch schneller wirken.»

Er trank zwei Messbecher leer.

Wir warteten.

Was soll ich sagen? Irgendwie erzielte der Trank nicht die gewünschte Wirkung. Stattdessen war Erdal nach zehn Minuten überzeugt, Wick Medinight würde nicht seine Sinne einschläfern, sondern seine Lungen.

«Ich spüre es ganz deutlich, ich stehe kurz vor einer Atemlähmung!»

«Hör auf, das bildest du dir nur ein.»

«Jetzt stell dir mal vor, dies sind die letzten Worte, die du zu mir sagst. Du würdest deines Lebens nicht mehr froh werden. Hast du dir überlegt, wie peinlich das auf meiner Beerdigung für dich wird? Die Leute fragen dich, wie du mir in meinen letzten Momenten beigestanden hast, und während mein Sarg in die Erde gelassen wird, wirst du zugeben müssen, das deine letzten Worte an mich waren: ‹Hör auf, das bildest du dir nur ein.› Na ja, immerhin könntest du dich dann ja mit Karsten zusammen schämen. Das ist schon sehr bitter, wenn man am Lebensende so ohne jede Unterstützung dasteht. Hallo, Steward, würden Sie mal bitte kommen, ich brauche dringend Hilfe!»

Die letzte Stunde des Fluges verbrachten Erdal und ich getrennt. Der Steward hatte ihm erlaubt, sich vor dem Cockpit auf den Boden zu legen, um Atemübungen zu machen. Man legte ihm ein Kissen unter den Kopf, flößte ihm gratis Champagner ein, und der Steward versorgte ihn mit seiner Handynummer.

Ich fühlte mich einsam im Club, obwohl ich schon beim Einchecken freundlich niedergeduzt worden war. Aber manchmal ist es ja so: Je fröhlicher die Leute um einen herum sind, desto unglücklicher fühlt man sich selbst. Man ist besonders allein unter Menschen, die einem partout das Gefühl vermitteln wollen, man sei nicht allein.

Ich finde, wenn man sich einsam fühlt, ist es angenehm, auch einsam zu sein, sich zurückzuziehen und dazu noch traurige Musik zu hören. Dann passt das Innen zum Außen. Und wenn es dann zu regnen anfängt, dann passt auch noch das Wetter zum Befinden.

Aber hier war der Unterschied zwischen gefühlter und realer Temperatur himmelschreiend. Zweiundzwanzig Grad, ein sternenübersäter Himmel, und in der Freiluftdisco sang Gloria Gaynor: «I am what I am, and what I am needs no excuses.»

Ja, dachte ich, ich bin auch, was ich bin: verdammt mies drauf!

In der ersten Nacht stellte ich dann auch noch fest, dass Erdal im Schlaf schmatzte. Wahrscheinlich signalisierte ihm sein an regelmäßige Fütterung gewöhnter Magen, dass wegen unserer späten Ankunft das Abendessen ausgefallen war.

Genervt verließ ich das Zimmer, um mir an der Freiluftbar einen sehr alkoholischen Drink zu holen und den Mond anzuheulen. Das Rauschen des Meeres wirkte romantisierend, löste bei mir allerdings auch einen latenten Harndrang aus.

Ach, ich wäre in diesem Moment wahnsinnig gerne glücklich gewesen.

Stattdessen sah ich deprimierend viele flirtende Menschen. Frauen schmissen ihren Kopf in den Nacken und fuhren sich durchs Haar. Hände berührten sich wie unabsichtlich, und Knie stießen aneinander. Die Frau neben mir am Tresen fragte ihren Begleiter, ob er Lust auf einen Spaziergang am Strand habe.

«Hervorragende Idee. Ich bin in zwei Minuten wieder da.»

Die Frau sah mich verschwörerisch an.

«Der geht Kondome holen. Du bist so käsig. Heute erst angekommen?»

«Mmmmh.»

«Dann kannst du dich auf was gefasst machen. Wenn du hier keinen abschleppst, dann schaffst du's nirgendwo. Hier geht alles. Ich hab's auf sechs Kerle in fünf Tagen gebracht. Und noch ein guter Rat umsonst: Keinen Sex auf den Liegen, die auf der Sonnenwiese stehen. Da wirst du nass, wenn nachts die Rasensprenger angehen.»

Sie schlenderte Richtung Strand und schwenkte dabei ihr ausladendes Hinterteil, als wolle sie möglichst viele Stehtische damit umschubsen.

Das fand ich bewundernswert. Eine Problemzone ist eben nur dann eine Problemzone, wenn man sie selbst als solche empfindet. Ich beschloss, ab sofort all meine Problemzonen zu Naturschutzgebieten zu erklären. Probehalber streckte ich die Brust mal etwas raus. Es wirkte sofort.

Mit gewinnendem Lächeln kam ein Mann auf mich zu. Erst dachte ich natürlich, er meinte jemanden hinter mir, aber da ich am Tresen stand, konnte hinter mir eigentlich nichts mehr zum Anlächeln kommen.

Er sah okay aus. Wenn er jetzt nicht Schwäbisch oder Sächsisch sprach, wäre das für den ersten Abend ein Achtungserfolg.

«Guten Abend, ich würde dich sehr gern auf einen Drink einladen, aber leider ist hier ja alles umsonst.»

«Dann gib mir doch einfach das Geld.»

Mist. Wieder völlig unfein und unerotisch reagiert.

«Solange ich mehr verdiene, mag ich Frauen mit Humor.»

Wie nett und wie selten: ein Mann mit Selbstironie. Wir unterhielten uns zwei Wodka Lemon lang – und das nur über mich! Hat man so was schon erlebt? Ein Mann, der Fragen stellt, der Antworten hören will. Der nicht daran interessiert ist, sich darzustellen, und von dem du nach einer halben Stunde noch nicht weißt, was für berufliche Heldentaten er jeden Tag vollbringt, wie viele Frauen er haben könnte und was er alles anders machen würde, wenn er Kanzlerin wäre. Ich war relativ hingerissen.

«Du bist wirklich eine spannende Frau», sagte er und schaute mir tief in die Augen. Ich fand, er könnte mir allmählich auch mal ins Dekolleté schauen.

«Ich denke, du könntest genau die Richtige sein.»

«Darf ich fragen, wofür?», sagte ich möglichst lasziv.

«Ich bin Journalist und recherchiere hier eine Reportage über Singles. Ich würde dich gerne zu deinen Club-Erfahrungen interviewen.»

War das zu fassen? Hier waren Hunderte paarungswillige Männer, die alle nur das eine wollten. Und der Einzige, der nicht das eine will, hat sich dafür ausgerechnet mich ausgesucht.

«Sieh das nicht so pessimistisch», versuchte Erdal mich am nächsten Morgen aufzuheitern. «Im Grunde ist es doch viel schmeichelhafter, angesprochen zu werden, weil man interessant aussieht statt rattenscharf. Wie bist du mit dem Herrn verblieben?»

«Ich hab gesagt, ich überleg's mir bis heute Abend.»

«Bis dahin haben wir einiges vor. Ich habe schon den Tagesplan studiert und uns für den Einsteigerkurs Bogenschießen angemeldet. Am Nachmittag machen wir bei Aqua Fit mit.

Wassergymnastik ist gelenkschonend und effektiv. Der Kurs findet direkt vor Ficki Island statt.»

«Wo bitte?»

«Ficki Island. Auch Haseninsel genannt. Das ist der Ponton, der da draußen im Meer schwimmt. Kannst dir ja denken, warum das Ding so heißt.»

«Woher weißt du das alles nach zwölf Stunden?»

«Ich habe mit dem Küchenchef geplaudert. Der hat mir erklärt, was man hier wissen muss. Vorgestern hat ein Pärchen neben der Haseninsel im Wasser kopuliert. Die glaubten, keiner guckt, weil alle bei der Wassergymnastik zuschauten.»

«Und was ist passiert?»

«Die beiden hatten nicht bedacht, dass bei Ficki Island auch das Schnuppertauchen stattfindet. Sechzehn Taucher haben sich den Akt so lange von unten angeschaut, bis die Frau sich wunderte, woher eigentlich die vielen Luftblasen kommen.»

«Autsch!»

«Und noch ein guter Rat: Keinen nächtlichen Geschlechtsverkehr auf der Sonnenwiese ...»

«... wegen der Rasensprenger. Danke, das wusste ich schon.»

Von: Linda Schumann
Betreff: Neues von der Haseninsel
Datum: 17. Oktober 19:28:14 MESZ
An: Aszabo@aol.com

Lieber Andreas,
ich habe in den letzten Tagen einige Erkenntnisse gewonnen. Beim Bogenschießen bin ich eine absolute Niete, und Wassergymnastik liegt mir auch nicht

besonders. Ich kann einfach nicht verdrängen, wie
behämmert ich dabei aussehe. Du hängst im Wasser,
eingeschnürt in eine luftgefüllte Weste, machst
entwürdigende Strampelbewegungen und musst dich zum
Schluss auch noch gruppendynamisch bei deinen Nachbarn einhaken, einen Kreis bilden, die Beine in die
Luft werfen und dabei «Let's go, let's go» brüllen.
Und noch etwas habe ich begriffen: Wenn du hier mit
angeknackstem Herzen ankommst, kehrst du garantiert
mit gebrochenem zurück. Und das gilt ungerechter-
weise nur für Frauenherzen. Männer suchen hier Sex,
während Frauen, wie immer eigentlich, Liebe suchen.
Ein deutlicher Interessenkonflikt also.
Am zweiten Tag habe ich mit einer geschiedenen
Rheinländerin gesprochen, die total geknickt war.
Der Typ, mit dem sie Sex hatte, hat ihr am nächsten
Abend nur kurz zugenickt und ist dann mit der Nächsten aufs Zimmer.
Die Arme gehörte zu der Sorte, die sich mit traum-
wandlerischer Sicherheit in Männer verliebt, von
denen sie schlecht behandelt wird. Verglichen mit
ihr darf ich nicht klagen. Ich ziehe niemanden an,
nicht mal die Falschen.
In ihrem letzten Single-Urlaub hat sich die Frau
tatsächlich verliebt. Und der Mann hat dann ihret-
wegen sogar seine Freundin verlassen. Ein schöner
Erfolg. Bis sich herausstellte, dass der Typ bedauerlicherweise auch noch eine Ehefrau hatte.
Sie hat sich dann getrennt und eine Therapie gemacht. Ist doch typisch: Eine Frau verliebt sich
in einen pathologischen Lügner - und rate mal, wer

hinterher hundertzwanzig Euro pro Sitzung zahlt,
um das Trauma zu verarbeiten?
«Isch habbet so wat von satt», sagte die Frau beim
Abschied.

Warum seid ihr Männer so anders als wir? Warum
müssen sich fast alle Frauen zumindest einbilden
können, sie seien in den Mann verliebt, mit dem sie
gerade die Nacht verbringen?
Und warum bilden wir uns das immer dann besonders
heftig ein, wenn sich der Typ am nächsten Morgen
verabschiedet, ohne nach unserer Nummer gefragt zu
haben? Warum fühlen wir Frauen immer so viel? Und
warum macht ihr uns das Leben zusätzlich schwer,
indem ihr euch eures so leicht macht?
Warum fühlt ihr immer so wenig? Warum könnt ihr
euch ablenken von Liebeskummer? Warum macht Ablenkung bei uns alles nur noch schlimmer?
Fühlst du deinen Schmerz überhaupt, Andreas? Oder
lenkst du dich durch Sex mit bedeutungslosen Frauen
so lange ab, bis dein Kummer keinen Bock mehr auf
dich hat, weil du ihn ja sowieso nicht beachtest?
Tu nur so, als sei nix, dann ist auch nix. Wenn du
über Sorgen nicht redest, dann hast du auch keine.
Funktioniert das wirklich? Verdammt, ich will das
auch können!
Immerhin wirst du statistisch gesehen sechs Jahre
vor mir sterben. Und das höchstwahrscheinlich mit
Glatze.

Linda

66

PS: Du bist diese Woche mit Treppenhausreinigung
dran.

PS 2: Morgen steht Yoga auf meinem Programm. Erdal
meint, das sei eine einmalige Gelegenheit, meinen
inneren Frieden zu finden.

Von: Andreas Szabo
Betreff: RE: Neues von der Haseninsel
Datum: 18. Oktober 23:12:34 MESZ
An: Schumannli@aol.com

Liebe Linda,
ich hätte dir vorher sagen können, dass ein Single-
Urlaub in deinem Zustand total nach hinten losgeht.
Statt einmal nachzudenken, machst du einen auf Ak-
tionismus. Nimmst du wenigstens einen hohen Sonnenschutzfaktor?
Ehrlich gesagt bin ich froh, dass ich dich nicht
kenne. In echt würdest du mir ganz schön auf die
Nerven gehen. Andererseits ist das ja irgendwie
der Sinn von Frauen, dass sie einem auf die Nerven
gehen.
Frauen, die Liebe oder Trost suchen, werden ihr
Glück kaum auf Ficki Island finden. Aber die Frage
ist: Willst du wirklich getröstet werden? Oder tust
du alles dafür, um deine über alles geschätzten
Gefühle mal so richtig «auszuleben», wie du es
wahrscheinlich nennen würdest?
Ein Beispiel: Ich habe in meinem I-Pod alle Liebes-

kummer-Songs gelöscht, die ich zurzeit auf keinen
Fall hören möchte, weil sie meine traurige Stimmung
verstärken würden.

Ich schicke dir die Songs im Anhang, und ich weiß
genau, was du tun wirst: Du lädst sie in deinen
MP3-Player runter, der wahrscheinlich pink ist und
einen Ordner enthält, der «Kummerstunden» heißt
oder so ähnlich.

Darin befinden sich schon an die fünfzig Songs,
darunter garantiert «If I Laugh» von Cat Stevens,
«In Your Eyes» von George Benson, das abscheuliche
«Didn't We Almost Have It All» von Whitney Houston,
das entsetzliche «Flugzeuge» von Herbert Gröne-
meyer, «Hello» von Lionel Richie und höchstwahrscheinlich auch «Ich häng an dir» von Nena.

Ich bin sicher, du hörst das Zeug rauf und runter, trinkst ordentlich Rotwein dazu und liest alte
Briefe von ihm.

Frauen können es sich richtig schlecht gehen lassen. Das können sie viel besser als Männer. Ich
habe keine Ahnung, welche Strategie richtig ist.
Ich glaube nicht, dass ich weniger leide als du
– bloß leiser. Es ist eine Frage der Disziplin.
Ich versuche, konsequent das zu vermeiden, was mir
nicht gut tut: Lieder, Filme, Gedanken, Gegenden,
Menschen. Ich habe kein Foto und keinen Brief von
ihr mitgenommen. Ich habe ihre Nummer aus meinem
Handy gelöscht, damit es mir nicht passieren kann,
dass ich ihr betrunken eine SMS schicke.
Ich will so wenig wie möglich an sie denken. Morgens stehe ich sofort auf – bevor die Erinnerungen

anfangen können, mich zu lähmen. Wenn ich nachts
nicht schlafen kann, setze ich mich an den Computer
oder vor den Fernseher. Hauptsache Ablenkung. Ich
bin nach Jülich gezogen, weil ich noch nie da war.
Hier gibt es für mich keine Erinnerungen.
Aber dauert vielleicht mit Ablenkung alles noch
länger? Ist es besser, seine Trauer noch zu verstärken, weil man sie dann schneller hinter sich
hat?
Im Nachhinein werden wir ja sehen, wer von uns
beiden eher wieder unter den Lebenden ist. So lange
hoffe ich, dass der Schmerz schneller vorbeigeht,
wenn ich ihm aus dem Weg gehe.
Und jetzt wünsche ich dir viel Kummer mit meinen
Songs und noch viel Spaß auf Ficki Island.
Eins noch: Ich glaube, es stimmt nicht, dass Frauen
mehr fühlen. Sie wollen bloß unbedingt mehr fühlen
und steigern sich deshalb mit großem Aufwand in die
winzigste Regung hinein. Würdet ihr das mal lassen,
könntet ihr auch Sex zur Ablenkung haben.

Es grüßt: Andreas

PS: Deine Nachbarin Ina - die mit Whitney Houston
- hat für mich den Treppenhausdienst übernommen.
Habe mich beim Feudeln extra unbeholfen angestellt.
So was funktioniert immer. Lade sie dafür Sonntagabend auf einen Wein ein.

Anlage
Sechzehn verbotene Lieder:

1. The Cripple and the Starfish (Anthony and the Johnsons)
2. Sometimes I Feel Like a Motherless Child (Van Morrison)
3. One (Johnny Cash)
4. Sail away (David Gray)
5. If I Could Fly (Boy George)
6. I Don't Wanna Talk about It (Rod Steward)
7. Into my Arms (Nick Cave)
8. In the Wee Small Hours of the Morning (Frank Sinatra)
9. Save Me (Aimee Man)
10. Where Did You Sleep Last Night (Nirvana unplugged)
11. Give Judy my Notice (Ben Folds)
12. The Blowers Daughter (Damien Rice)
13. One Day You'll Dance for Me New York City (Thomas Dybdahl)
14. Take this Waltz (Leonard Cohen)
15. Giselher (Marius Müller Westernhagen)
16. Just a Man (Los Lobos)

....
Von: Linda Schumann
....
Betreff: Re: Re: Neues von der Haseninsel
....
Datum: 18. Oktober 23:17:08 MESZ
....
An: Aszabo@aol.com
....

Lieber Andreas,
du hast Recht: Ich will die Extraportion Gefühl.
Schau mal in dem kleinen Regal neben meinem Bett

nach. Okay, da stehen etwa fünf Romane, auf denen
englische Landhäuser abgebildet sind, aber dazwischen müsstest du ein schmales Büchlein finden, das
«Licht» heißt. Ungefähr in der Mitte findest du was
Unterstrichenes zum Thema Viel-fühlen-Wollen. Lies
es. Vielleicht verstehst du dann besser, was ich
meine.

Von: Andreas Szabo
Betreff: RE: RE: RE: Neues von der Haseninsel
Datum: 18. Oktober 23:38:56 MESZ
An: Schumannli@aol.com

Liebe Linda,
ich habe die Stelle gefunden:
«Ich will, dass mich alles was angeht. Ich will
nichts auslassen, und ich will mir nichts einreden,
ich nehme jede Verzweiflung an – wenn die Leute doch
richtig verzweifelt sein könnten. Ich will mein
Leben nicht billig haben, ich will auch die Liebe nicht billig haben, und für das, was mir fehlt,
will ich keinen Ersatz.»
Das gefällt mir. Sehr vernünftig auch, dass die
Frau sagt, sie wolle keinen Ersatz für das, was ihr
fehlt. Das ist übrigens genau das Gegenteil von
dem, was du gerade machst.
Viel Spaß beim Yoga!

Andreas

```
..........................................................................
Von: Linda Schumann
..........................................................................
Betreff: Re: Re: Re: Re: Neues von der Haseninsel
..........................................................................
Datum: 18. Oktober 23:45:01 MESZ
..........................................................................
An: Aszabo@aol.com
..........................................................................
```

Blöder Besserwisser! Erwäge Mieterhöhung.

Linda 😒

«TREFFER! VERSENKT!»

Ich muss sagen, dass mir Yoga nicht so wahnsinnig viel gibt. «Erfühlt eure Körpermitte, indem ihr euch auf eure inneren Schwingungen konzentriert», hatte die Trainerin gesagt. Zu diesem Zweck sollten wir bitte alle brummen.

Mir persönlich war das peinlich, und ich zog es vor, einigermaßen lautlos in mich hinein zu brummen. Erdal hingegen gab sich direkt neben mir der Sache total hin. Er brummte so laut wie sein Nasenhaarschneider auf höchster Stufe.

Es hatten sowieso schon alle geguckt, als er mit seinen knielangen Shorts einmarschierte, auf denen tropische Sonnenuntergänge und Palmen abgebildet waren. Im Grunde eine als Hose verkleidete Fototapete, wie man sie aus Bräunungsstudios kennt.

Vor mir brummte Heiner aus Bayreuth, den ich auf dem Club-Schiff kennen gelernt hatte. Der schönste Teil des Ausflugs war die Rettungsübung «Mann über Bord». Der Kapitän erklärte uns, dass man die Position des Ertrinkenden am besten mit einem schwimmenden Gegenstand markieren solle.

Eine ältere Dame rief dazwischen: «Also, Herr Kapitän, wenn das mein Mann wäre, der da über Bord geht, würde ich den Fernseher hinterherschmeißen und rufen: Treffer! Versenkt!»

Ich lachte. Ihr Mann nicht.

Heiner erschien mir harmlos und irgendwie rührend: sicher weit über sechzig, weißhaarig, gemütlich beleibt und mit dem gütigen Gesicht der Opas, die im Fernsehen für Treppenlifte und Kreuzfahrten werben. Er wirkte etwas verloren zwischen all den paarungswilligen jungen Leuten. «Zu dem kannst du nett sein», sagte ich mir. «Der ist lieb und lebt nicht mehr lange.»

Ich hatte das gute Gefühl, ein gutes Werk zu tun, als wir uns abends an der Bar verabredeten. Heiner begann sogleich von seiner künstlichen Hüfte und seiner Tochter zu berichten – beide ungefähr in meinem Alter.

Als er mich zum Tanzen aufforderte, verfluchte ich innerlich die Fortschritte der modernen Medizin, die es Menschen mit künstlichen Hüften möglich macht, auf «In da Club» von 50 Cent zu tanzen. Standardtanz natürlich, zwei links, zwei rechts und alle zwanzig Sekunden eine Drehung.

Und dann fing Heiner an zu fummeln. Ich dachte, mich trifft der Schlag: ein Lustgreis!

Warum muss sich der wahrscheinlich älteste jemals registrierte Gast der Club-Geschichte ausgerechnet an mir vergreifen?

Während ich mich verzweifelt fragte, ob ich das hier meinen Freundinnen überhaupt erzählen könnte und was das eigentlich über mich und meine Ausstrahlung aussagt, schob ich Heiners Hände auf meine Hüften zurück. Was er seltsamerweise als aufmunternde Geste wertete.

«Du wirst schon noch sehen: Auf alten Schiffen lernt man gut segeln», raunte er mir an seinen dritten Zähnen vorbei ins Ohr. «Gestern bin ich zwar nass geworden, aber keine Bange, das passiert mir nicht nochmal.»

«Bitte?»

«Die Liegen auf der Sonnenwiese sollte man nachts meiden wegen der ...»

«... Rasensprenger, ich weiß. Verzeih bitte, Heiner, aber ich kann bereits segeln.»

Und nun lag er brummend auf dem Rücken wie eine Hummel im Marmeladenglas. Heiner, der gierige Greis! Bei der Yoga-Übung «Glücklicher Seehund» – man muss die Fußsohlen gegeneinander patschen, als würde man applaudieren – glaubte ich, seine künstlichen Gelenke rappeln zu hören. Ich brach die Stunde vorzeitig ab und stürzte mich ins Meer.

«NUKLEARSPRENGKOPF»

Ich wachte früh auf an meinem letzten Urlaubstag. Ich hatte mir Andreas' Rat zu Herzen genommen: aufstehen, bevor die Erinnerungen anfangen, einen zu lähmen.

Über dem Meer würde gleich die Sonne aufgehen. Um diese Zeit begegnete man nur ein paar Gärtnern.

Ich mag besonders gern Stille, die nicht so still ist. Ich finde, dass Stille erst durch die Begleitung von Meeresrauschen angenehm wird oder durch den friedlichen Klang von Rasensprengern. Deswegen habe ich auch zu Schnee ein gespaltenes Verhältnis. Die Nächte werden zwar heller durch ihn, aber sie werden auch unerträglich still. Wenn man in einen verschneiten Winterabend hinaustritt, kommt man sich ja vor, als sei man spontan taub geworden. Das hab ich nicht so gerne. Ich finde, Schnee macht einsam. Und was ich auch finde, ist, dass Sonnenaufgänge längst nicht so romantisch sind wie Sonnenuntergänge. Das kam mir in meinem Fall natürlich sehr gelegen.

Ich setzte mich auf den Bootssteg und ließ meine Füße ins Wasser baumeln. Es ist ein seltsames Gefühl, wenn das Wasser wärmer ist als die Luft, und ich merkte meinen Füßen ihre Überraschung an. Normalerweise springt man ins Meer, um sich abzukühlen. Jetzt kam mir das Wasser vor wie eine bereits angewärmte Decke, unter die ich kriechen könnte, bis die Luft auch warm würde.

Es ist auch ein seltsames Gefühl, wenn du eigentlich Kummer hast und es dir ohne Vorwarnung einen Moment lang nicht schlecht geht. Ich merkte meinem Herzen seine Überraschung an. Wenn du gewohnt bist, dass das Wasser kalt ist und dein Herz schwer, brauchst du einfach ein paar Sekunden, um zu begreifen, dass es diesmal anders ist.

Ich saß also auf diesem Steg mit Blick auf einen formschönen Sonnenaufgang, die immer noch ungläubigen Füße im warmen Wasser – und bemerkte plötzlich die Abwesenheit von Schmerz.

Zum ersten Mal seit Wochen spürte ich meinen Magen nicht. Hoffentlich war er noch da. Hatte ja nicht mehr viel zu tun gehabt, der arme Kerl.

Der Trauerkloß in meinem Hals war weg. Und mein Herz ersparte sich diese kleinen Unregelmäßigkeiten, die man als angenehme Luftsprünge empfindet, wenn man frisch verliebt ist, und als schmerzhaftes Stolpern, wenn man frisch allein ist.

Sollte in diesem Moment mein «im Nachhinein» begonnen haben?

Im Nachhinein fangen viele Sätze an mit «im Nachhinein». Was hatte Andreas geschrieben? «Im Nachhinein werden wir ja sehen, wer von uns beiden eher wieder unter den Lebenden ist.»

Aber ab wann ist im Nachhinein? Ab wann blickst du zurück, wenn du dir deinen Liebeskummer anschaust? Und kannst du dir sicher sein, dass es überhaupt ein «im Nachhinein» geben wird?

Die Antwort ist: Ja, weil es jedes Mal so war. Irgendwann war es immer vorbei. Auch wenn du jedes Mal gedacht hast, dieses Mal geht es nicht vorbei.

Aber was, wenn auf diesen Liebeskummer keine Liebe mehr folgt? Was, wenn das hier der letzte Liebeskummer deines Lebens ist? Einer, auf den du nie zurückblicken wirst, weil du für immer mittendrin steckst?

Ja, ja, ich weiß es doch selbst. Liebeskummer und Verliebtheit: Beides fühlt sich an, als sei es für ewig. Und beides geht immer vorbei.

«I feel good! I knew that I would now!»

Oh, verdammt.

Aus den Lautsprechern dröhnte der Guten-Morgen-Song des Clubs. James Brown, «So good, so good, I got you!».

Mein Herz stolperte wieder. Mein Magen war definitiv noch da. Und ich war definitiv noch nicht im Nachhinein.

Von: Linda Schumann

Betreff: RE: RE: Neues von der Haseninsel

Datum: 19. Oktober 22:47:45 MESZ

An: Aszabo@aol.com

Lieber Andreas,

bin vor zwei Stunden unberührt aus meinem Cluburlaub zurückgekehrt. Auch kein Grund, stolz zu sein. Erdal ist nach Hamburg gefahren und freut sich auf Karsten und Elisabeth, sein Meerschweinchen, das ihm seine ehemalige Mitbewohnerin zum Auszug geschenkt hat und das er nach ihr benannt hat. Soll ich mir auch ein Haustier zulegen? Fühle mich gerade verlassen genug, um die Anschaffung einer Schildkröte zu erwägen. Keine Stimme, keine Haare, sehr pflegeleicht.

Oder ich versuch es nochmal mit der Internet-Agentur «Dating Café». Habe mich dort neulich angemeldet und die Fotos der Frauen angeschaut, die auf der Suche sind.

Achtzig Prozent von denen lassen sich mit einer Katze im Arm fotografieren oder mit einer Zimmerpflanze an ihrer Seite. Frauen scheint es schon unangenehm zu sein, wenn sie auf einem Foto allein sind.

Um deine Frage vorwegzunehmen: Nein, ich habe meinem Kontaktwunsch kein Bild von mir beigefügt. Die ehrliche Begründung: Ich habe mich nicht getraut. Die Begründung, die ich mir seither versuche einzureden: Inhalt ist wichtiger als Optik.

Es gab tatsächlich einen Kandidaten, der mich treffen wollte. Dem habe ich aber erst gar nicht geantwortet. Es gab kein Foto von ihm, und ich fand sein Pseudonym absolut indiskutabel. Wer nennt sich denn schon «Nuklearsprengkopf»? 🐑
Und du?

Solltest du dich gerade mit meiner Nachbarin Ina in meinem Bett von deinem Kummer ablenken, erhöhe ich die Miete um einhundert Prozent!

Ich kann dir nämlich jetzt schon sagen, wie das ausgehen wird: Ina wird sich in dich verlieben, egal wie du aussiehst. Das tut sie nämlich immer. Erst wird sie dir selbst gemachtes Kompott schenken und dir dann im Flur auflauern, um dich mit ihren überschäumenden Gefühlen bekannt zu machen. Du wirst dir noch wünschen, du hättest das Treppenhaus selbst geputzt.

Aber du hast es nicht besser verdient, Chauvi-
nisten-Schwein. Wer sich auf unsere Kosten ablenkt,
der soll auch dafür zahlen.
Ich bin übrigens betrunken, und du darfst mir
nichts übel nehmen. Habe gerade mal wieder deine
verbotenen Lieder komplett durchgehört. Spinnst
du, mir so was zu schicken? Da brauche ich ja
Wochen, um das zu verarbeiten! Würde ich nicht
schon Liebeskummer haben, hätte ich jetzt garantiert welchen. Habe schon beim zweiten Titel –
«Sometimes I Feel Like a Motherless Child» von Van
Morrison – schluchzend zum Vino tinto gegriffen.
Sollte es stimmen, dass man Schmerz schneller
loswird, indem man ihn absichtlich verstärkt, dann
ist meiner morgen weg.
Mann, bin ich einsam. Sonntagabende sind meiner
Empfindung nach für uns Alleinstehende aber auch
immer besonders schwer zu bewältigen. Da bleibt man
traditionellerweise zu Hause, kocht Nudeln, guckt
«Tatort» und geht, von Sabine Christiansen ver-
grault, zeitig zu Bett.
Der Sonntagabend ist ein «Wir-Abend». Und ich bin
kein Wir mehr. Der Scheißkerl hat mich mit Sabine Christiansen allein gelassen. Und was tue ich?
Verzweifelte Mails schreiben an jemanden, den ich
gar nicht kenne.
Ich erinnere mich selbst leider an Sandra Bullock
in «Während du schliefst». Die sitzt am Weihnachts-
abend im Krankenhaus am Bett eines bewusstlosen
Mannes, den sie gar nicht kennt, und fragt: «Warst
du schon jemals so einsam, dass du dich mit einem

Menschen unterhalten hast, der im Koma liegt?»
Könnte ich mir eigentlich nochmal ansehen, den
Film. Bloß um alles noch etwas schlimmer zu machen.
Schön, Andreas, dass du immerhin bei Bewusstsein
bist. Prost, mein Lieber.
So, werde mir jetzt quasi als Absacker nochmal
«Cripple and the Starfish» von Anthony and the John-
sons gönnen. Eine echte Entdeckung, für die ich dir
sehr dankbar bin. Wer sich nach diesem Lied nicht
schlecht fühlt, dem ist wirklich nicht mehr zu hel-
fen.
Gute Nacht.
Linda

PS: Habe übrigens schlimmen Sonnenbrand.

PS 2: Im Urlaub gab es einen kurzen Moment, in dem
ich mir vorstellen konnte, dass dieser ganze Mist
tatsächlich irgendwann vorbei sein wird.

PS 3: Wie gesagt, der Moment war kurz.

PS 4: Und vielleicht habe ich ihn mir auch nur ein-
gebildet.

«ICH HABE MIR IMMER EIN GEHEIMNIS GEWÜNSCHT»

Habe ich erwähnt, dass ich, zurückhaltend geschätzt, in meinem Leben schon mindestens zwölfmal meinen Haustürschlüssel verloren habe? Die Fälle gar nicht mitgezählt, wo er nur vorübergehend unauffindbar war, weil ich ihn beispielsweise bei einer Freundin am anderen Ende der Stadt liegen gelassen hatte.

Zu Schlüsseln habe ich ein neurotisches Verhältnis. In meinem Handy ist der Schlüsselnotdienst meiner Heimatstadt Jülich an dritter Stelle programmiert – was wenig hilfreich ist, wenn sich der vergessene Schlüssel in meiner vergessenen Tasche mit dem vergessenen Handy befindet.

Nach einigen unbequemen Nächten im Treppenhaus hatte ich in Jülich eine stattliche Zahl Ersatzschlüssel an meine Freunde verteilt.

Hier in Berlin geht das nicht, denn ich habe nur einen Schlüssel zu Andreas' Wohnung, und den darf man nur mit Genehmigung der Hausverwaltung nachmachen lassen.

Es war also nur eine Frage der Zeit. Und diese Zeit ist jetzt da.

Nachdem ich den ganzen Tag lang in der Wohnung gehockt hatte, brachte ich abends um zehn den Müll runter, um mal vor die Tür zu kommen.

Vielleicht ist es übertriebener Entsorgungseifer, aber mir passiert es immer wieder, dass ich mit der Mülltüte auch den Schlüssel in meiner Hand wegschmeiße.

Meine Nachbarn in Jülich hatten sich daran gewöhnt, dass ich immer mal wieder bis zu den Hüften in unseren Hausabfällen steckte und unflätig fluchte.

Wer die monsterhaft großen Berliner Müllcontainer kennt, weiß, dass ich nicht nur vor einer verschlossenen Haustür stand, sondern vor einem nahezu unlösbaren Problem: Wie willst du Müll durchsuchen, der dir bis zur Stirn reicht?

Ich stehe hilflos vor dem Container, der zum Hineinklettern zu hoch ist und zum Umkippen zu schwer.

Alles in allem eine mich nachdenklich stimmende Situation: kein Schlüssel, kein Geld, kein Handy, keine Freunde, kein Lebenspartner, kein Haustier, kein Kind, keine Aussicht auf eine solide Rente, keine Bauchmuskulatur.

Glückwunsch! Ich bin wirklich das, was man eine moderne und unabhängige Frau nennt.

«Darf ich Ihnen vielleicht helfen?» Ein Mann mit Mülltüte steht neben mir.

«Ich fürchte nein.»

«Haben Sie mir neulich nicht mit Kaffee ausgeholfen? Ist etwas passiert?»

«Ich habe aus Versehen meinen Schlüssel weggeworfen. Wissen Sie, wann die Container geleert werden?»

«Morgen früh gegen viertel nach sechs. Das weiß ich leider so genau, weil ich nach vorne raus schlafe. Es ist jedes Mal so, als würde der Müllwagen auf meiner Matratze halten.»

«Wären Sie so nett, mich ins Haus zu lassen?»

«Aber selbstverständlich.»

Ich trotte hinter ihm her bis zu seiner Wohnung.

«Vielen Dank für Ihre Hilfe und gute Nacht.»

«Sie glauben doch wohl nicht, dass ich Sie hier im Treppenhaus sitzen lasse. Wie wäre es, wenn wir in der Nähe was trinken gehen. Sie haben keine Bleibe, ich keinen Weißwein im Kühlschrank. Das ergänzt sich doch perfekt, oder?»

«Geht so. Ich habe nicht nur keine Bleibe, sondern auch keinen Mantel und kein Geld.»

Ich weiß ja nicht, wie es anderen geht, aber verheiratete Männer kommen für mich prinzipiell nicht infrage. Ich muss allerdings zugeben, dass das weniger an meinem hohen moralischen Standard liegt. Ich kann mir einfach nicht vorstellen, dass ein Mann seine Frau mit mir betrügen würde.

Nein, das ist nicht kokett gemeint und hat auch nichts mit einem geringen Selbstbewusstsein zu tun. Ich weiß mittlerweile einfach ziemlich genau, was ich kann und was nicht.

Ich kann gut Englisch, und ich kann gut kochen. Ich kann gut Briefe schreiben, und wenn es sein muss, kann ich sogar gut auf Kohlehydrate verzichten. Was ich definitiv nicht kann, ist gut rechnen, elegant auf hohen Schuhen gehen und ergebnisorientiert flirten.

Ich habe es zu oft in Filmen, auf Barhockern und an Nebentischen gesehen: wie Frauen sich mit der Zunge über die Lippen fahren, die Brust rausstrecken – ob vorhanden oder nicht, sich durchs Haar streichen und ihre Augen aufreißen wie Garagentore für Geländewagen.

Ich habe zu oft gesehen, wie es funktioniert und dass es funktioniert. Und ich bringe es einfach nicht über mich, es genauso zu machen. So, wie ich auch nur sehr ungern jemandem etwas schenke, was der sich vorher ausdrücklich gewünscht hat. Ich mag das nicht. Ich komme mir doof dabei vor. Wie bestellt und abgeholt. Es ist so einfach. Und einfach hab ich einfach nicht so gern.

«Ich muss Ihnen ein großes Kompliment machen, Linda. Es ist unglaublich charmant, wie Sie mich mit großen Augen all diese Dinge fragen.»

Höre ich nicht richtig? Was redet der Typ da? Was meint er mit «Dinge»? Und vor allem: was für «große Augen»?

Mein neuer Nachbar heißt Johann Berger. Er schaut, als hätte er mich durchschaut. Er tut so, als hätte ich ein Geheimnis zu verbergen, das er durch besonders genaues Hinsehen entdeckt hat.

Ehrlich gesagt war es immer mein Wunsch, etwas zu verbergen zu haben. Gab bloß nie was. Ich habe mir immer ein Geheimnis gewünscht, aber ich hatte immer nur die Geheimnisse anderer Leute.

Die Affäre zwischen Anne und Christian zum Beispiel. Ein halbes Jahr lang musste ich für die beiden Schmiere stehen. Musste allein in unzumutbare Filme gehen, bloß damit Anne ihrem Mann am nächsten Tag erzählen konnte, was wir gesehen hatten.

An anderen Abenden durfte ich nicht vor die Tür, weil Anne zu Hause erzählt hatte, ich läge mit schlimmer Migräne danieder und sie würde mich pflegen, was eventuell bis zum Morgen dauern könne.

Dann wiederum musste ich mir halbe Nächte aushäusig um die Ohren schlagen, weil die beiden es satt hatten, sich immer nur im Hotel zu treffen, und in meiner Wohnung ein bisschen Alltag simulieren wollten: kochen, vor dem Fernseher essen und zweifelhafte Flecken auf meinem Sofa hinterlassen, von denen Anne bis heute behauptet, es sei Carbonara-Soße.

«Wenn du Alltag spielen willst», hatte ich ihr gesagt, «dann dürftest du eigentlich gar keinen Sex haben – und schon gar nicht auf dem Sofa.»

Natürlich hatte ich in regelmäßigen Abständen an Annes nicht vorhandenes schlechtes Gewissen appelliert und sie an ihren armen Ehemann erinnert, eine treue Seele, die sich ihr gegenüber nie etwas hatte zuschulden kommen lassen. Aber verliebte Frauen sind eben komplett beratungsresistent, und es kam, wie es kommen musste: Die Affäre flog auf. Allerdings die ihres Mannes.

«Wie war's denn gestern?», hatte sie ihn desinteressiert gefragt, nachdem sie den Abend offiziell mit mir verbracht hatte. «Wart ihr nach dem Meeting noch was trinken?»

‹Ja, wir haben diese neue Bar ausprobiert.›

Anne wurde plötzlich hellhörig.

‹Du meinst das ‹Lola›?›

‹Genau. War toll und ist ziemlich spät geworden. Du hast schon geschlafen, als ich nach Hause kam.›

Der arme Kerl konnte natürlich nicht ahnen, dass Anne mit ihrem Liebhaber ebenfalls ins «Lola» gehen wollte, der Laden aber wegen eines Wasserschadens geschlossen war.

Es war interessant zu beobachten, was für einen Wahnsinnsaufstand Anne machte, als sie aus ihrem Mann herausgequetscht hatte, dass er sie seit einem halben Jahr mit einer Siebenundzwanzigjährigen betrog.

Nichts ändert sich so schnell wie die Einstellung eines Menschen zur Untreue, wenn er feststellt, dass sie auf Gegenseitigkeit beruht.

Sanfte Hinweise meinerseits, dass Anne mit zweierlei Maß messe, ignorierte sie völlig. Auch verletzte Frauen sind komplett beratungsresistent.

Zum Glück haben sich die beiden wieder zusammengerauft.

«Seit ich weiß», sagt Anne, «dass Christian imstande ist, mich zu betrügen, habe ich viel größeren Respekt vor ihm. Nichts macht einen Mann auf Dauer so unattraktiv wie die Vorstellung, dass er unfähig zur Untreue ist. Unsere Beziehung läuft seither besser denn je.»

Johann Bergers Blick vergräbt sich in meine Augen, und ich bin jetzt selbst geneigt, sie für besonders groß zu halten.

Allmählich wird mir klar, was der Mann gerade tut: Er versucht mir einzureden, ich würde mit ihm flirten. Das ist raffiniert. Erstens gibt er mir so das durchaus angenehme Gefühl, ich sei verführerisch, ohne es zu wollen. Und zweitens gibt er sich so das durchaus angenehme Gefühl, er sei verführt worden, ohne es zu wollen. Hinterher, sollte es ein Hinterher geben, würde keiner Schuld haben.

Und wie es bei richtig guten Taktiken immer ist, funktionieren sie selbst dann, wenn man sie durchschaut hat.

Es versteht sich ja von selbst, dass sich mein Prinzip des grundlegenden Desinteresses an verheirateten Männern schlagartig ändert. Zeigt ein Mann Interesse an mir, halte ich das für eine derart herausragende und menschlich wertvolle Eigenschaft, dass so Winzigkeiten wie Familienstand keinerlei Gewicht mehr haben.

Ich lächele, als hätte ich ein Geheimnis, das Johann Berger noch entschlüsseln könnte. Ich versuche, meinen Augen die Rätselhaftigkeit des Da-Vinci-Codes zu verleihen – oder sagen wir zumindest der Hunderttausend-Euro-Frage bei «Wer wird Millionär?».

Das Spiel beginnt. Und ich habe kein Interesse mehr, mich zu fragen, ob dieses Spiel für die Beteiligten gut ausgehen kann.

Denkst du an das Ende, wenn dich gerade der Anfang begeistert? Es heißt, bis zu einem bestimmten Punkt des Geschehens hätte man die Wahl, aber das hier ist eine Herausforderung, nein, schlimmer: eine Provokation des Schicksals. Lässt du dich provozieren? Du hast immer die Wahl, das glaube ich auch. Und genauso oft glaube ich es auch nicht.

«ZUM SCHMUTZIGEN HOBBY»

Ich habe höchstens drei Stunden geschlafen, aber ich bin so wach wie lange nicht mehr. Mir fehlt nichts. Nicht sein vertrautes Atmen, nicht sein vertrauter Geruch, nicht die vertrauten Umrisse seiner Schultern und nicht das vertraute Gefühl, neben jemandem aufzuwachen, der einem vertraut ist.

Hier ist alles fremd, so wie ich mir selbst. Sehr ungewöhnlich. Ich bin mir gern fremd, stelle ich fest. Es macht mir weniger Angst, als ich gedacht hätte. Ich komme mir vor, als hätte ich mich gerade erst kennen gelernt, als könne ich mich noch überraschen.

Die Flügeltüren zum Wohnzimmer sind offen. Auf dem Couchtisch stehen zwei halb volle Gläser – und sofort weiß ich, was ich dachte, als Johann Berger mich zum ersten Mal küsste.

Natürlich weiß ich noch, was ich dachte. Ist ja nicht so, dass ich so oft zum ersten Mal geküsst werde, dass ich da irgendwas durcheinander bekommen könnte. Ich dachte: «Egal, was jetzt noch passiert, egal, wie diese Geschichte weitergeht, und egal, wie sie ausgeht: Allein für diesen Moment hat sich alles gelohnt!»

Erste Küsse sind ja alles entscheidend. Und können wahnsinnig enttäuschend sein, wenn der, in den man sich verlieben will, küsst wie ein Anfänger, von dem man sofort weiß, dass er es niemals lernen wird. Und wie groß ist die Erleichterung, wenn es funktioniert, dieses verdammte Küssen, bei dem ja auch wirklich verdammt viel schief gehen kann.

Du vergisst nie, wenn es einer dieser Küsse ist, die man noch in den Fußspitzen fühlt, die den ganzen Körper in Ausnahmezustand versetzen und bei denen du herausfindest, dass es so etwas tatsächlich gibt: «weiche Knie».

Ab diesem Moment wusste ich, dass ich auf Johann Bergers Anrufe warten, seine SMS mit Herzrasen öffnen und die Nacht, in der ich ihn zum ersten Mal geküsst hatte, genauso oft verfluchen wie verherrlichen würde.

Ich wusste, was mir bevorstand.

Und natürlich gab es trotzdem kein Zurück.

Johann Berger und ich hatten den Abend in der Bar «Zum schmutzigen Hobby» begonnen. Als wir am Tresen Platz nahmen, war ich einigermaßen unentspannt, was sich noch verstärkte, als wir einen Blick in die Getränkekarte, wo neben anderen sexistischen Drinks ein «Blow Job» mit Wodka und Wick Blau angeboten wurde. Herr Berger passte ins «Schmutzige Hobby» wie eine Nutte in den Vatikan. Er trug einen tintenblauen Nadelstreifenanzug mit Weste und Schuhe, in denen man sich spiegeln konnte. Mehr als ungewöhnlich für den Prenzlauer Berg, wo der so genannte Vintage Look Pflicht ist. Vintage heißt, man kauft alte Sachen, die teurer sind als neue Sachen.

Herr Berger, erfuhr ich, ging nicht nur einer geregelten Tätigkeit nach, sondern hatte als Teilhaber einer Consulting-

Firma in Kiel eine Führungsposition inne und zählte, wie er sich ausdrückte, «zu den Top-Entscheidern dieses Landes».

«Wir beraten europaweit Firmen bei Innovationen, Expansionen, Kooperationen und Fusionen.»

Ich war hingerissen von so vielen Fremdwörtern in einem Satz. Was mich natürlich besonders hellhörig machte, war Johann Bergers Herkunft. War das Schicksal oder Zufall?

«Stammen Sie aus Kiel?», fragte ich so absichtslos wie möglich.

«Jawohl, in vierter Generation.»

Nun, ich bin in Geographie eine Niete und auf verbindliche Aussagen, wie die Hauptstädte von Estland, Lettland und Litauen heißen, würde ich mich lieber nicht festnageln lassen. Was ich aber sicher weiß, ist, dass Kiel am Meer liegt. Wie hatte ich nur glauben können, das Aquarium von Draco sei ein Zeichen gewesen? Ich hatte mich da auf eine falsche Fährte locken lassen. Hier saß er ganz eindeutig vor mir: der Mann vom Meer!

Gerade war ich total ergriffen, als vor uns ein Transvestit im Abendkleid auf den Tisch sprang und ins Mikrophon brüllte: «Liebe Tunten, Schwuletten und andere Gäste, es ist Zeit für unser allwöchentliches Glamour-Quiz! Ich stelle euch jetzt

Verfickte Longdrinks

Alle gängigen Longdrinks
4cl Spirituose + 0,2l Softdrink

Verhurte Cocktai
Black Russian
Wodka, Kahlua₁

Schmutzige Shots   je
„Schmutz" (Jägermeister, Mango)
„Antichrist" (Wodka, Tabasko)
„Blow Job" (Wodka, Wick Blau)

zwanzig Fragen zum aktuellen internationalen Klatsch und Tratsch, und ihr notiert die Antworten bitte auf dem Zettel, den ihr am Eingang bekommen habt. Wer die meisten richtigen Antworten hat, gewinnt wie immer eine Flasche Champagner und den Titel der ‹Fabulous Trash-Queen of the Week›!»

Es war geradezu entwürdigend, was Johann Berger alles nicht wusste. Ich meine, womit beschäftigt sich der Mann den ganzen Tag? Er murmelte immer wieder entschuldigend, dass solche Themen in der «Financial Times» und auch im «Handelsblatt» tatsächlich etwas zu kurz kämen.

Gut, es waren ein paar knifflige Fragen dabei, für die man schon länger ein aufmerksamer Beobachter des internationalen Jetsets sein musste. Der Vorname des unehelichen Sohnes von Prinz Albert von Monaco? Wie heißt das Schwein von George Clooney und wie der derzeitige Lebensgefährte von Paris Hilton?

Es war geradezu entwürdigend, was ich alles wusste. Nämlich alles. Und da ich Johann Berger alles vorgesagt hatte, verließen wir die Lokalität «Zum schmutzigen Hobby» mit einer Flasche Champagner und dem zweifelhaften Titel «The Fabulous King and Queen of Trash».

Immerhin hatte ich den Eindruck, dass Johann Berger in seinem länglichen Dasein bisher noch nichts Vergleichbares erlebt hatte. «Ich kann nicht glauben, dass Sie nicht wissen, mit welchem Sänger Michelle Hunziker verheiratet war», sagte ich noch immer ungläubig, als er die Haustür aufschloss. Seine Antwort: «Entschuldigen Sie, aber wer ist eigentlich Michelle Hunziker?»

«RUNZLIGE KNIEKEHLEN – EIN VERNACHLÄSSIGTES RANDGEBIET»

Neben mir liegt ein Mann, den ich sieze. Irgendwie sind wir gestern Nacht nicht mehr dazu gekommen, uns das Du anzubieten. Oder duzt man automatisch Leute, nachdem man mit ihnen im Bett war? Ich bin mir da nicht ganz sicher, was das Protokoll angeht.

Ich betrachte meinen fünfunddreißig Jahre alten Körper im fahlen, unvorteilhaften Morgenlicht und muss sagen, dass der an manchen Stellen wirklich nicht jünger aussieht, als er ist.

Natürlich kennen wir alle die offensichtlich von Alterung zuerst betroffenen Regionen wie Augenpartie, Hals, Brust und Dekolleté – welches in meinem Fall ja ganz besonders früh dran glauben musste.

Es gibt aber noch andere, unvermutete Stellen, wo sich die Vergreisung unaufhaltsam ausbreitet. Runzlige Kniekehlen zum Beispiel sind ein vernachlässigtes Randgebiet. Oder Fersen, die aussehen, als seien sie mit jahrhundertealtem Pergament umwickelt. Und dann diese kleinen Wülste zwischen Brust und Achselhöhle, die man schon schrecklich fand, bevor sie zusehends erschlafften.

Ist das nicht vollkommen absurd, dass man sich als Frau sogar dann verwelkt vorkommt, wenn man neben einem Typen aufwacht, der zwölf Jahre älter ist als man selbst? Ich könnte wetten, dass selbst die hoffentlich schon achtzehn-jährigen Models, die neben Flavio Briatore im Bett liegen, sich Gedanken machen, ob sie von irgendwas zu wenig haben. Und damit meine ich nicht ihren Verstand.

Warum haben schmerbäuchige Greise und komplett er-schlaffte Mittvierziger so ein freches Selbstbewusstsein? Während du noch überlegst, wie du nackt, aber dennoch eini-germaßen würdevoll die Badezimmertür erreichen könntest – und zwar am besten, ohne dass er dich von hinten sieht –, sitzt er schon mit sich stapelnden Bauchfalten auf der Bett-kante und zieht sich pfeifend die Socken an.

Bei der Gelegenheit wird meist auch das eindeutig bestä-tigt, was man im Dunkeln nur vermuten konnte: Steißbehaa-rung! So nennt man unter Fachleuten die Haare, die am un-teren Ende des Rückens wachsen – gerne korrespondierend mit Haaren, die am oberen Ende des Rückens wachsen.

Ich meine, ist das zu glauben? Du zupfst dir sogar die Augenbrauen, damit sie nicht zu wild wuchern – da kommt es auf jedes Härchen an –, und er trägt das unkleidsame Haar gleich büschelweise mit sich herum.

Da fragst du dich schon, warum er dir diesen Anblick nicht erspart. Warum schämt der sich nicht? Warum ist er so derar-tig mit sich im Reinen? Warum bückt er sich nackt beim Kü-cheaufräumen, obschon ihr euch kaum kennt und er eigent-lich nicht davon ausgehen dürfte, dass du ihn so liebst, wie er ist?

Du ärgerst dich, weil er sich selbst offenbar ebenso lie-benswert findet wie du ihn, aber du dich selbst mal wieder nicht. Positives Körperbewusstsein ist ein ebenso ungerecht verteiltes Gut wie Erdöl.

Männern ist es ja auch zum Beispiel deshalb überhaupt

nicht wichtig, am Morgen danach als Erster aufzuwachen. Die pennen lieber noch 'ne Runde. Mir persönlich sind nicht wenige Frauen bekannt, die sich nach der ersten Nacht, während er noch schlief, hurtig ein komplett neues Make-up aufgelegt und sich mit seinem Rasierer schnell Beine und Bikinizone nachrasiert haben.

Als ich Andreas von diesem weit verbreiteten Verhalten schrieb, erklärte sich ihm schlagartig der eine oder andere Rasurbrand der vergangenen Jahre.

Johann Berger ist siebenundvierzig. Auf seinem Handrücken glaube ich gestern Abend erste Altersflecken gesichtet zu haben. Er hat grau-blonde Schläfen, zwei tiefe Längsfalten neben seinem Mund und etwas schrumpelige Kniescheiben – eine unterschätzte Problemzone, wo sich genaueres Hinsehen immer lohnt.

Aber mich stört das alles nicht, denn wenn du jemanden magst, siehst du ihn immer in mildem, vorteilhaftem Kerzenlicht oder erleuchtet von zwanzig Watt Soft-tone-orange-Glühbirnen, die jeden aussehen lassen wie Prinzessin Diana, fotografiert von Mario Testino.

Schade, dass wir uns selbst statt im Prinzessinnenlicht im Suchscheinwerfer sehen, wo jede Pore wie ein Krater aussieht und jedes Fältchen wie ein verdorrtes Tal des Todes.

Wir hadern mit Gegenden unseres Körpers, von denen Männer noch nicht einmal wissen, dass sie existieren.

«TRAU KEINEM MANN, MIT DEM DU GERADE DIE NACHT VERBRACHT HAST»

Frauen beschäftigen sich mit zwei Fragen unnötig viel:

Erstens: Was kann ich gegen die miserable Arbeitsmoral meines Bindegewebes tun?

Zweitens: Was hat er sich wohl dabei gedacht?

Zu neunundneunzig Prozent ist die zutreffende Antwort in beiden Fällen: Nix! Ich habe meine Oberschenkel mit ätzenden, rechtsdrehenden Fruchtsäuren bearbeitet, sie mit Zupfmassagen malträtiert, bis ich blaue Flecken bekam, und beim Joggen sehr unvorteilhafte Thermowäsche getragen, die die Durchblutung bis in die tieferen Hautschichten hinein anregen sollte: alles mit dem eigentlich vorhersehbaren Nulleffekt.

Und ich habe Stunden verbracht, um die verborgene Bedeutung einer SMS zu entschlüsseln. Selbstverständlich auch solcher SMS, die gar nicht erst gekommen waren. Ich mag mir überhaupt nicht ausrechnen, wie viel Zeit ich verschwendet habe mit der Interpretation von Aussagen wie «Komme später», «Passt es dir auch morgen?» oder «Ich würde dich gerne wieder sehen».

Meine Freundinnen habe ich zu Diskussionsrunden einbestellt, wo es um Schicksalsfragen ging wie: Nach welcher Zeit soll ich seine SMS beantworten? Soll ich rangehen, wenn er jetzt anruft, oder ihn lieber noch zwei Tage zappeln lassen? Wenn ich bis morgen nichts von ihm höre: Wofür ist das ein Zeichen? Oder, ebenso kontrovers diskutierbar: Wenn er mich morgen anruft: Wofür ist das ein Zeichen?

Männer zappeln in den seltensten Fällen, wenn man sie zappeln lassen will. Das ist betrüblich. Denn während du darauf wartest, dass er anruft, damit du endlich nicht drangehen kannst, macht er Karriere und Krafttraining – oder eine neue Bekanntschaft.

Die SMS von Männern zu interpretieren ist in etwa so sinnvoll, wie die tiefere Bedeutung von Stoppschildern entschlüsseln zu wollen. Ja meine Güte, wäre es denn möglich, dass die Herren genau das geschrieben haben, was sie sagen wollten?

Ich erinnere mich an zahllose große Pausen in der Raucherecke des Schulhofs, in denen ich meine drei engsten Freundinnen fragte: «Stephan sagt, er hat morgen keine Zeit. Was glaubt ihr, hat das zu bedeuten?»

Heute halte ich es für absolut möglich, dass Stephan keine Zeit hatte.

Dass Frauen sich zu viele Gedanken machen, ist allen Frauen bekannt. Aber sie hören trotzdem nicht damit auf. Es gibt jedoch eine Situation – und ich befinde mich gerade und gerne in ihr –, da lohnt sich das Grübeln und das Interpretieren: am Morgen danach.

Andreas hatte mir in einer relativ schonungslosen Mail geschrieben, was Männer denken, wenn sie neben einer Frau aufwachen, mit der sie die erste und eventuell auch letzte Nacht verbracht haben.

Liebe Linda,

Morgengrauen kann für Männer das Grauen sein. Wenn
wir genug getrunken haben und eine Frau einigermaßen sexy ist, haben wir gerne Sex, relativ egal,
mit wem. Frauen dagegen haben in der Regel nur Sex
mit Männern, in die sie sich vielleicht auch verlieben könnten. Deshalb erleben sie beim Aufwachen
auch keine bösen Überraschungen. Ich glaube, Frauen
suchen sich im Dunkeln nur solche Männer aus, die
ihnen auch im Hellen gefallen würden.

Männer wären morgens bei zwei Dritteln der Frauen
heilfroh, hätten sie ihnen vor Tagesanbruch ein
Taxi bestellt.

Achte gut darauf, wie sich der Mann am Morgen danach verhält, denn hier bietet das männliche Verhalten wirklich mal gehörigen Interpretationsspielraum.

Er wird dir natürlich nicht sagen, dass ihm deine Beine zu kurz sind. Oder dass du so schlabberig
küsst, wie er es sich ekeliger nicht bei Kermit dem
Frosch vorstellen kann. Er will dich damit aber
nicht schonen, sondern sich Ärger ersparen.

Er wird sagen, dass er schnell losmüsse und leider
keine Zeit für ein gemeinsames Frühstück habe, dir
aber den Starbucks gleich um die Ecke empfehle. Und
er wird hoffen, dass du verstehst, was er damit

meint: Danke, das war's, und ruf mich bloß nicht
an.
Also: Traue keinem Mann, mit dem du gerade eine
Nacht verbracht hast. Es sei denn, er sagt: «Willst
du Kaffee oder lieber Tee?» Oder: «Ich möchte dich
so schnell wie möglich wieder sehen!» Oder: «Willst
du mich heiraten?»

Viele Grüße
Andreas

So langsam gerate ich ein wenig in Panik. Noch fünfzehn Minuten, dann kommt die Müllabfuhr – und mit ihr der Moment der Wahrheit. Wird mich Johann Berger beim Aufwachen wohlwollend betrachten? Oder wird er Reue fühlen?
Vielleicht sollte ich lieber gehen, um mir und auch ihm diese
unangenehme Situation zu ersparen.

Außerdem, fällt mir wieder ein, muss ich ja in Verhand-
lungen mit den Müllmännern treten, um meinen Schlüssel
wiederzubekommen, ehe er in den Untiefen des Müllwagens
verschwindet. Schön, wenn man seine Feigheit mit einer Not-
wendigkeit tarnen kann.

Wenn Johann Berger mich wieder sehen will, weiß er ja,
wo ich wohne. Ich schließe leise die Tür und ziehe meine
Schuhe erst im Treppenhaus an. Und ich bin noch nicht im
Erdgeschoss, als ich bereits anfange zu leiden.

Meine Güte, wie ich das hasse, warten zu müssen!

Silke (Jülich)
ruft an

ANTW.   ABWEIS

«Dann lass es doch einfach.»

«Wie meinst du das?»

«Mach doch was anderes.»

«Ich will dich ja nicht beleidigen, Silke, aber seit deinem zweiten Kind bist du irgendwie so pragmatisch geworden.»

«Weil ich Pullover lieber gleich in der Farbe der Kotze meiner Kinder kaufe und keine Zeit mehr habe, auf die Anrufe von Männern zu warten? Welcher Männer im Übrigen? Der letzte, den ich kennen gelernt habe, hatte sich für Leos Kindergarten als Osterhase verkleidet. Als ich hinten auf seiner Hose den aufgeklebten Puschelschwanz sah, fand ich, dass ich eigentlich doch recht gut verheiratet bin.»

«Du hast auch wirklich Glück mit Markus. Der liebt und verehrt dich und würde dich niemals betrügen. Anders als Draco, das fiese Schwein.»

«Entschuldige, aber ist dein Mann von letzter Nacht dann nicht auch ein fieses Schwein? Der hat wahrscheinlich auch eine Frau zu Hause sitzen, die glaubt, ihr Mann sei die treueste Seele der Welt. Haben die beiden Kinder?»

«Nein. Also fast keine. Nur eins. Und das ist schon groß.»

«Was exakt meinst du mit ‹schon groß›?»

«Sein Sohn geht bereits in den Kindergarten.»

«Na, da ist er ja schon so gut wie aus dem Haus. Und hat er dir erzählt, seine Ehe sei sowieso schon so gut wie beendet? Das war bestimmt gelogen. Glaub mir, Männer beenden ihre Ehen fast nie von sich aus – dafür sind sie zu faul. Und wenn doch, wollen sie schön bequem gleich in die nächste Beziehung rutschen.»

«Das könnte er ja jetzt.»

«Spinnst du? Du hast gerade mal eine Nacht mit diesem Mann verbracht und weißt noch nicht mal, ob er dich überhaupt wieder sehen will – und da stellst du schon seine Ehe infrage? Findest du nicht, du solltest die Sache etwas langsamer angehen lassen?»

«Die Diskussion hatte ich erst neulich. Dafür bin ich einfach nicht der Typ.»

«Du weißt, dass ich dir als Freundin sagen muss, dass du höchstwahrscheinlich gerade in dein Unglück rennst. Also, ich appelliere an deine Vernunft und Lebenserfahrung und gebe dir den dringenden Rat: Finger weg! Dass in Liebesangelegenheiten der gute Rat nie der ist, der befolgt wird, weiß ich allerdings selbst. Hätte ich sonst ein halbes Jahr an den Volltrottel Lars verschwendet?»

«Wir haben dich alle gewarnt.»

«Das hat nichts genützt. Sag ich ja. Ich war eben verliebt. Und das bist du anscheinend auch.»

«Mmmmh.»

«Und wie war die Nacht? Eine ehrliche Antwort, bitte. Wir wissen beide, dass erste Nächte nur deswegen so schön sind, weil man sie schön finden will und deshalb mehr als großzügig über diverse Mängel hinwegsieht.»

«Es war schon toll und absolut einzigartig, aber ich hätte gedacht, dass ein Mann in seinem Alter etwas mehr Erfahrung mitbringen würde.»

«O Gott, ein Stümper? Oder wie unser Freund Paul zu sagen pflegt: eine Niete am Laken?»

«Nein, so schlimm ist es nicht. Aber man merkt, dass er sich nie viel Mühe geben musste. Wenn einer ansonsten erfolgreich, wohlhabend, klug und gut aussehend ist, reicht am Laken wahrscheinlich Standard. Es kann natürlich auch sein, dass ihn seine Ehe phantasielos im Bett gemacht hat. Vielleicht haben die beiden mit den Jahren ein bestimmtes Programm entwickelt, zu dem er die Alternativen vergessen hat.»

«Verstehe. Ich nehme an, du hast ihm trotzdem das Gefühl gegeben, das sei die überhaupt beste Nacht gewesen, die du jemals erlebt hast?»

«Logisch.»

«Wir sind selbst daran schuld, dass es so viele durchschnittliche bis lausige Liebhaber gibt. Irgendwann hat eine blöde Kuh den ersten Orgasmus vorgetäuscht und damit eine Lawine losgetreten. Einen Versager im Bett haben, aber stöhnen, bis die Polizei kommt. Es ist im Grunde genommen wie mit Hannelore und mir.»

«Du hast deiner Schwiegermutter einen Orgasmus vorgetäuscht?»

«Quatsch. Aber seit ich mit ihrem Sohn verheiratet bin, schenkt sie mir zu jedem Geburtstag zehn Gläser selbst gemachtes Quittengelee. Hätte ich doch bloß gleich beim ersten Mal gesagt, wie abgrundtief eklig ich dieses Wabbelzeugs finde. Es hätte einmal eine ordentliche Verstimmung gegeben, aber danach hätte sie sich ein neues Geschenk überlegt. Jetzt ist es natürlich zu spät, mich zu beschweren. Dann wüsste sie ja, dass meine Freude seit Jahren nur geheuchelt ist. Ehrlich, Linda, wenn wir immer so tun, als würde man uns zufrieden stellen, bekommen wir nie das, was wir wirklich wollen.»

«Andererseits macht es keinen guten Eindruck, wenn man gleich das Meckern anfängt. Noch dazu, wo die männliche Libido so störanfällig ist.»

«Es redet ja auch keiner davon, sein Ego in den Grundfesten zu erschüttern. Du sollst ja nicht plötzlich losbrüllen: ‹Mehr nach rechts, du dämlicher Stümper! Hast du seit der Pubertät denn überhaupt nichts mehr dazugelernt!› Ich spreche von liebevollen Hinweisen. Und damit kann man gar nicht früh genug anfangen.

Leider sieht die Praxis bei mir auch anders aus: ein Keller voller Quittengelee und ein Ehemann, der bis heute glaubt, es macht mich ekstatisch, wenn er mit seiner Zunge meinen Hörkanal ausschleckt.

Aber auf dich kommen Probleme von ganz anderem Kaliber zu. Ein verheirateter Mann ist nicht gerade ein Glücksstreffer. Wirklich, Linda, red dir diesen Mann nicht schön. Die kleinste Dosis Reinsteigerung reicht hier völlig aus.»

«Du hast natürlich Recht, aber weißt du, was ich mich seit letzter Nacht sehr beschäftigt? Johann ist mehr als zehn Jahre älter als ich – was mache ich, wenn er vor mir stirbt?»

«DU KANNST EINEN VERHEIRATETEN MANN NICHT OHNE GUTE UNTERWÄSCHE UND OHNE SCHLECHTEN CHARAKTER EROBERN»

Ich finde den Zettel am nächsten Morgen. Er hat eine Nachricht unter meiner Tür durchgeschoben. Ich lese sie nicht. Ich trage den Zettel in die Küche, lege ihn umgedreht auf den Tisch und finde, dass dieser Moment wie geschaffen ist, wieder mit dem Rauchen anzufangen.

Den ganzen letzten Tag und mehr als die halbe Nacht hatte ich versucht, nicht zu warten. Ich hatte beispielsweise so getan, als würde ich arbeiten. In einer Dreiviertelstunde schaffte ich fünf Sätze – und die bedurften dringender Nachbearbeitung.

Dann hatte ich so getan, als würde ich fernsehen. Erst nach zwanzig Minuten merkte ich, dass ich den Theaterkanal eingeschaltet hatte und «Julius Cäsar» in Schwarzweiß lief.

«Lebe ich denn nur in den Vorstädten deiner Zuneigung?», fragte eine Frau in Tunika einen Mann in Tunika. Sie griff sich bewegt an die Brust. Ich griff mir auch bewegt an die Brust. Mein Zustand schien mir nun selbst bedenklich.

Ich beschloss, kritisch zu überprüfen, ob ich gewappnet war für das, was da auf mich zukommen mochte, und ob ich die nötige Ausrüstung hatte für das Spiel, das ich spielen wollte.

Du kannst einen Fünftausender nicht ohne Handschuhe und Schneebrille besteigen. Und du kannst einen verheirateten Mann nicht ohne gute Unterwäsche und ohne schlechten Charakter erobern.

Was meinen Charakter betraf, fühlte ich mich ausreichend gut ausgestattet, denn moralische Bedenken hatte ich eigentlich nicht. Was kann ich dafür, wenn der Ehemann einer anderen Frau sich für mich interessiert und seine Wahl auf mich fällt? Das ist doch seine Sache! Jeder Mensch kann sich zu jedem Zeitpunkt seines Lebens neu entscheiden. Sogar für mich.

Mal ziehst du den Kürzeren – und ich hatte ja nun wirklich schon viele Kürzere gezogen! – und mal nicht. Du kannst es dem, den du liebst, nicht vorwerfen, dass er dich nicht mehr liebt. Er will dir nichts Böses antun. Er tut dir nur ungeheuerlich weh.

Ich habe selbst schon fassungslos neben mir gestanden und meiner Liebe beim Ableben zugeschaut. Sie führt ein Eigenleben und ein Eigensterben.

Wenn sie sich entschlossen hat zu bleiben, schreckt sie keine Entfernung und kein Ehering.

Hat sie sich entschlossen zu gehen, nützt keine Therapie, keine künstliche Beatmung und keine Adrenalininjektion mitten ins Herz. Du bleibst neben einem Leichnam zurück, der kalt wird und anfängt zu stinken.

Moralisch beziehungsweise unmoralisch gesehen, war ich die ideale Geliebte. Was mir jedoch Kopfzerbrechen bereitete, war meine Garderobe. Ich denke, dass in den meisten Kleiderschränken von Frauen, die gerade aus einer längeren Beziehung kommen, die Unterhose mit geradem Beinausschnitt und hohem Baumwollanteil zu den dominanten Kleidungsstücken zählt.

Tatsächlich fand ich bei genauerer Prüfung kein einziges Wäschestück, das die Bezeichnung «Dessous» auch nur im Entferntesten verdient hätte. Die wenigen String-Tangas sahen nach etlichen Wäschen aus wie das verfilzte Haarteil von Sam-«Wenn-ich-mich-nicht-irre»-Hawkins, bekannt durch «Winnetou», Folge eins bis drei.

Auch meine Büstenhalter hätten jeder Altkleidersammlung zur Schande gereicht. Selbst nach eindringlichem Grübeln hätte ich nicht zu sagen gewusst, wann ich zuletzt einen zur Unterhose passenden BH getragen hatte.

Niederschmetternd war auch das Ergebnis der Inspektion meines Schuhbestands. Ich hatte aus Jülich Schuhwerk mitgenommen, das ausschließlich zur Fortbewegung gefertigt worden war. Beim Packen hatte ich mir ja nicht vorstellen können, dass mir ein Mann jemals wieder wichtig genug werden würde, um ihm zuliebe unbequeme Schuhe zu tragen.

Mein ganzer Kleiderschrank war Ausdruck der tristen Stimmung, in der ich meine Heimatstadt verlassen hatte. Keine tiefen Ausschnitte, keine gewagten Schlitze, keine kurzen Röcke, keine hochhackigen Stiefel. Nur Jeans, Sweatshirts und flache Absätze, wohin das Auge blickte. Sehr praktisch, aber null sexy.

Mein Kleiderschrank, wurde mir erschrocken bewusst, war der einer Ehefrau.

Das musste ich selbstverständlich sofort ändern.

Denn ich war jetzt, zum ersten Mal in meinem Leben, eine Geliebte.

Das hoffte ich zumindest.

Wie lange rauche ich schon nicht mehr? Fast drei Jahre. Wie lange habe ich nicht geliebt? Ich ziehe den Rauch so tief in meine Lungen, als würde ich herrliche Nordseeluft einatmen.

Auf dem Küchentisch liegt immer noch der umgedrehte Zettel. Nicht lesen. Ich möchte noch ein wenig hoffen. Weil das so schön war, vierundzwanzig Stunden lang glauben zu können, es könnte weitergehen: Geliebte sein, Unterwäsche begutachten, Zukunft ausmalen.

Sah mich an deiner Seite. Habe deinem Sohn Gutenachtgeschichten vorgelesen. Dich auf Vorstandssitzungen begleitet. Unseren Bungalow in Kiel eingerichtet und Sechsgängemenüs für deine Geschäftspartner gekocht.

Ich habe Urlaube mit dir verbracht in kostspieligen Küstenorten. Habe ein bis drei von dir gezeugte Kinder geboren und deine Hemden mit Sprühstärke eingesprüht und gebügelt – beziehungsweise nach dem ersten Rausch der Verliebtheit eigenhändig in die Reinigung gebracht.

Ich will nicht, dass es schon zu Ende ist.

Es hat ja noch nicht einmal angefangen.

Noch eine hoffentlich letzte Zigarette.

Und noch ein hoffentlich letzter Brief.

Lieber Draco,

du fehlst mir nicht mehr. Es war so, wie es immer ist:
Es ging vorbei. Aber fast bin ich nicht froh darum. Es ist gut,
nicht mehr zu leiden. Aber es ist nicht gut, erneut herausgefunden zu haben, dass die Liebe nie so groß ist, wie
man glaubt, solange sie dauert.

Gestern – ich hoffe, du verzeihst mir diese Indiskre-
tion, aber wir kannten uns ja lange genug – ging ich in einer
Bar aufs Klo. Die Tür war von innen voll gekritzelt mit Botschaften, und jede handelte von der Liebe und dem Schmerz.

«Wie soll ich ohne Tobias leben?»

«Philipp, ich hasse dich, weil ich dich liebe!»

«Mirko, vermisst du mich auch so wie ich dich?»

Das musst du dir mal vorstellen: Da sitzen Frauen auf dem
Klo und schreiben Botschaften an geliebte Männer, die diese
niemals lesen werden.

Heute finden diese Frauen das wahrscheinlich albern,
schämen sich oder lächeln milde: Ach ja, mein Geschreibsel
an der Toilettentür. Hab mich damals ein bisschen zu ernst
genommen. Dachte, ich hätte meine große Liebe verloren und
käme niemals drüber hinweg. Hab mich zum Glück geirrt.

Zum Glück?

Gibt es überhaupt die große Liebe, wenn man später nicht
mal mehr zu dem stehen kann, was man auf die Toilettentür
geschrieben hat? Große Lieben dürften doch eigentlich nie
vorbeigehen. Und wenn doch, müsste zumindest der Verlust-
schmerz ewig dauern. Wenn man im Nachhinein immer findet,
man hätte sich zu ernst genommen: Was kann man dann noch
ernst nehmen?

Natürlich ist es tröstlich, zu wissen, dass Liebeskummer

vorbeigeht. Aber ein besonders gutes Zeichen für die Liebe ist es eigentlich nicht.

Das wollte ich dir sagen, lieber Draco.

Deinen Namen könnte ich jetzt wieder aussprechen, aber an die Toilettentür würde ich ihn definitiv nicht mehr schreiben.

Wie es aussieht, ist mein Liebeskummer vorbei. Bin bereit für den nächsten. Denn jetzt lese ich die Nachricht, die vor mir auf dem Küchentisch liegt.

Linda

«DIE UNERFREULICHE WAHRHEIT ÜBER SCHUHE: JE SCHLECHTER DU DICH IN IHNEN FÜHLST, DESTO BESSER SIEHST DU AUS»

Unerträglich! Der seelische Schmerz des Verlassenwerdens wegen einer anderen ist absolut vergleichbar mit dem körperlichen Schmerz bei der Anprobe von Schuhen, die dabei helfen sollen, einer anderen den Mann auszuspannen. So hat eben jeder sein Päckchen zu tragen.

«Wenn Sie sich für ein offenes Modell entscheiden, Linda, könnte ich mit der Adresse einer hervorragenden Fußpflegerin aushelfen.»

Renate Küppers-Gökmen sitzt im fellbespannten Sessel eines Schuhgeschäfts neben dem Kempinski Hotel am Kurfürstendamm und hält drei Verkäuferinnen gleichzeitig auf Trab.

Erdal hatte es sehr bedauert, dass er meine «Verwandlung zur Paprika», wie er es nannte, seiner Mutter übertragen musste. Er war nach Hamburg gefahren, um den neuen Küchenchef einzuarbeiten und sich auf die Party in der Nähe von Travemünde vorzubereiten, bei der er Karsten nach zehn Tagen Trennung wieder begegnen würde.

Mein Wiedersehen mit Johann Berger war bereits übermorgen.

Nachdem ich Johann Bergers Nachricht gelesen hatte,

war ich wie auf Wolken gegangen, aber davon kann in diesem Moment keine Rede mehr sein, denn die unerfreuliche Wahrheit über Schuhe ist: Je schlechter du dich darin fühlst, desto besser siehst du darin aus.

Mit schmerzverzerrtem Gesicht schaue ich in den Spiegel – und erkenne meine eigenen Füße nicht wieder. In diesen türkisfarbenen Cavalli-Stilettos sehen sie aus, als hätten sie nie was mit mir zu tun gehabt und meiner Vergangenheit in schief getretenen Turnschuhen, breit gelatschten Stiefeln mit nicht erwähnenswertem Absatz und Hüttenschuhen mit Zopfmuster.

Ich bin mir sicher, ich stehe damit nicht allein, wenn ich sage: Das Hausschuhproblem ist bis heute ein ungelöstes.

Ständig wird einem gesagt, man dürfe sich nicht hängen und gehen lassen, sondern solle auch im häuslichen Bereich auf adrettes Äußeres achten und den Liebsten, auch wenn man ihn schon länger kennt, nicht mit den Jogginghosen verschrecken, die einem selbst zum Joggen nicht mehr gut genug sind.

Aber irgendwann kommt in Beziehungen die Zeit der so genannten gemütlichen Abende. Dann machst du den Abwasch nicht mehr nackt und nur mit zwölf Zentimetern Absatz unter dir. Und du bist nicht länger bereit, dieses unermessliche Leid in Kauf zu nehmen, das bereits die Schritte zum Klo auf

High Heels auslösen – und das für einen Mann, von dem du ja bereits weißt, dass er dich liebt.

Haben wir uns nicht alle schon mal beim Ausziehen der Schuhe gewundert, dass uns nicht – klong, klong – mindestens zwei abgestorbene Zehen entgegenkullerten?

Eine Frau sollte nur dann Absätze von mehr als elf Zentimetern Höhe tragen, wenn sie Single ist und das nicht bleiben möchte. Oder frisch verliebt ist und das bleiben möchte. Oder den Abend definitiv größtenteils im Liegen verbringen wird.

Im Grunde hältst du die ersten Beziehungsmonate auf High Heels nur aus, um dir die anschließenden Jahrzehnte als Moppel in Hüttenschuhen redlich zu verdienen. Das Problem ist, dass es für die Zeit, wenn die Partnerschaft in den zwangloseren Teil übergeht, nur würdeloses Schuhwerk zu kaufen gibt. Das gilt für Männer wie für Frauen.

Alles kann heute gut aussehen: Männerunterhosen, Hausanzüge, Sweatshirts, Jogginghosen. Ich meine, Madonna und Justin Timberlake tragen ihre Trainingsanzüge mittlerweile sogar auf der Bühne, und wer jemals was von Adidas gekauft hat, weiß, dass eine Sportjacke mit drei Streifen drauf mittlerweile mehr kostet, als man für eine Sportjacke mit drei Streifen drauf ausgeben möchte.

Es ist also absolut möglich, sich gemütlich und dennoch chic zu kleiden. Aber was, verdammt nochmal, ziehst du dir an die Füße, wenn er sagt: «Schatz, lass uns für heute Abend eine DVD ausleihen.»?

Birkenstocks sehen, selbst von Heidi Klum designt, immer aus wie zerbeulte Hartschalenkoffer. Hüttenschuhe sind hässliche Socken mit Sohlen dran. Schluppen mit Puscheln obendrauf sind natürlich das Allerletzte und Schluppen ohne Puscheln obendrauf auch. Dicke Socken sind niemals dick genug, um dauerhaft warm zu halten. Und barfuß bekommt man schmutzige und kalte Füße.

Es bleibt festzuhalten, dass der Bereich Pantoffeln von nationalen und internationalen Designern sträflich vernachlässigt wird.

Renate Küppers-Gökmen ist eine beeindruckende Person: um die sechzig, hoch aufgetürmtes Haar, kompakt wie eine Tafel Ritter-Sport-Schokolade und mit einer Stimme gesegnet, die röhrt wie Godzilla mit Rachitis.

«Linda, nun gucken Sie doch nicht wie ein Backfisch im Pornoshop. Sie müssen zwei Dinge lernen. Bei Schuhen gilt: sexy aussehen ohne Rücksicht auf die Unversehrtheit des eigenen Leibes. Beim Trinken gilt: Ich bin zu alt für offenen Wein.»

«Darf ich Ihnen und Ihrer Tochter Champagner bringen lassen?», fragt der Store-Manager.

«Jawoll, Sie dürfen bringen lassen, junger Mann. Und holen Sie der jungen Dame, die nicht meine Tochter ist, mal den schwarzen Gianmarco Lorenzi aus dem Fenster. Für diesen Cavalli-Firlefanz ist sie nicht der Typ.»

Renate Küppers-Gökmen hatte nach dem Tod ihres letzten Mannes dessen Unternehmen allein weitergeleitet und war so zur Spezialistin für den europaweiten Vertrieb von Dieselmotoren geworden. Gut möglich, dass sie sich dem Klang der Motoren stimmlich angepasst hat. Wie ein Paar, das sich im Laufe der Jahre immer ähnlicher wird.

Ist das wirklich so, oder verliebt man sich in Leute, die einem schon von Anfang an ähnlich sind? Welche der beiden Volksweisheiten stimmt denn nun eigentlich: «Gleich und Gleich gesellt sich gern» oder «Gegensätze ziehen sich an»?

Die Partnerbörsen im Internet gehen davon aus, dass man umso besser zusammenpasst, je mehr ähnliche Eigenschaften und Interessen man hat. Ungleiche Paare sind nicht vorgesehen. Wäre es nach denen gegangen, hätte Pretty Woman nie ihren Klavier spielenden Millionär mit Universitätsabschluss und den Hobbys Oper, Theater und Literatur abbekommen. Nach Abgleich mit ihrem Profil hätte man ihr bei «Parship» oder «Dating Café» eine Vorschlagsliste mit Männern geschickt, wie man sie hauptsächlich in Besserungsanstalten findet.

Also ich weiß nicht, ich würde mich nie in einen Mann verlieben, der so ist wie ich. Erstens käme dann keiner von uns jemals zu Wort, und zweitens kann ich mir nicht vorstellen, mit jemandem zusammen zu sein, der immer irgendein Problem hat. Nach einem üppigen Abendessen vorm Einschlafen gerne noch in dem Buch «Für immer schlank!» blättert. Alles persönlich nimmt. Sich ständig grundlos aufregt und sich nur rudimentär für die Weltpolitik interessiert. Wo sollte das hinführen? Nicht auszudenken.

Nein, ich möchte ergänzt werden. Ich möchte definitiv einen Mann, der nicht zu mir passt. Einen, der ganz anders ist als ich. Was mir an Bildung, Gelassenheit und Vermögen fehlt, sollte mein künftiger Partner mit in die Beziehung bringen. Ich steuere dafür Ausgelassenheit bei, die Garantie für lebhafte, nie versiegende Kommunikations- und Auseinandersetzungsbereitschaft, ständige emotionale Hoch- und Tiefpunkte und eine lebenslange Suche nach dem eigentlichen Sinn des Lebens sowie nach dem Haustürschlüssel. Ist ja nicht so, als hätte ich nichts zu bieten.

«Diese Schuhe sind perfekt für Sie, Linda, aber Sie eiern drauf rum wie ein besoffener Seemann.»

Renate Küppers-Gökmen und ich sind am Boden des zweiten Glases Champagner angelangt.

«Ich war Erdal übrigens nie böse, dass er mit Dieselmotoren nichts zu tun haben will. Ich wollte immer ein Mädchen haben – oder eben einen schwulen Sohn. Männer dieser Veranlagung sind familienorientiert, und man kann so schön mit ihnen shoppen gehen.»

Vor drei Jahren hatte Renate Küppers-Gökmen das Unternehmen verkauft. Seither war sie reich, machte zweimal im Jahr eine Kreuzfahrt auf der «MS Europa», dekorierte ihr 260-Quadratmeter-Apartment in Charlottenburg monatlich um und kaufte auf dem Kurfürstendamm so viel ein, dass sie fast in jedem Laden Prozente bekam. Und davon, hatten Mutter und Sohn beschlossen, sollte ich heute profitieren.

«Wann ist Ihre Verabredung, Linda?»

«Übermorgen.»

«Bis dahin müssen Sie dringend den richtigen Gang üben. Haben Sie vielleicht Lust, mich heute Abend auf die Eröffnung des neuen Gucci-Stores zu begleiten? Da könnten Sie Ihren Fummel schon mal probetragen. Es gibt nichts Schlimmeres, als wenn man erst im Restaurant merkt, dass sich der Rock elektrisch auflädt und einem ständig am Unterarm kleben bleibt.»

Ich nicke wissend. Für solche Art Missgeschicke bin ich ja tatsächlich Fachfrau. Mit Schaudern erinnere ich mich an die Weihnachtsfeier eines Verlages, für den ich viele minderwertige Krimis übersetzt hatte.

Ich war mir ganz sicher, dass der Chef der Taschenbuch-Abteilung für mich bestimmt sei. Um bei ihm ebenfalls dementsprechende Gefühle hervorzurufen, hatte ich mich für ein rückenfreies Kleid entschieden.

Jede Frau jenseits dreißig, die sich gegen chirurgische Eingriffe entschieden hat, kennt natürlich die Grundproblematik des rückenfreies Kleides: Was zum Teufel macht man mit den Brüsten?

Unbeaufsichtigt hängen lassen ist selbstverständlich keine Option. Und Büstenhalter mit widerlichen und nur nahezu durchsichtigen Plastikträgern kann man ungestraft bloß noch in sauerländischen Großraumdiscos tragen. Diese Teile sehen aus, als habe man sich die BH-Körbchen mit japanischen Glasnudeln am Körper festgezurrt.

Bleibt zur Brustbefestigung also nur der so genannte selbstklebende Büstenformer.

Ich hatte mein Modell, «NudeBra» genannt und nicht ganz billig übrigens, im Internet bestellt. Zwei Tage später erreichte mich ein kleines Paket mit zwei ekelhaften gallertartigen Objekten. Es sah aus, als hätte man zwei hautfarbene Quallen per Post verschickt. In der Gebrauchsanweisung zum «NudeBra» hieß es:

«Positionieren Sie das Körbchen im gewünschten Brustwinkel. Wiederholen Sie das für die andere Brust. Drücken Sie dann die BH-Körbchen mehrere Sekunden fest an den Körper, damit diese richtig sitzen. Achten Sie darauf, dass beide Körbchen in gleicher Höhe sitzen. Jetzt können Sie die Freiheit und den Tragekomfort Ihres NudeBra ungehindert genießen. Durch das Tragen dieses Produkts entbinden Sie NudeBra International von jeglicher rechtlichen Haftung für die Folgen seiner Verwendung.»

Da hätte ich natürlich hellhörig werden können. Aber die Weihnachtsfeier begann in fünfundvierzig Minuten, und ich versuchte zu verdrängen, was für eine erbarmungswürdige Figur ich im Spiegel sah: Da war jemand verzweifelt bemüht, sich möglichst symmetrisch zwei mit übel riechendem Kleber beschichtete Gummititten auf den Busen zu pressen.

Um den Plastikgeruch einigermaßen zu übertünchen, sprühte ich mir eine Extraladung Parfüm auf meine neuen Brüste, schlüpfte in mein rückenfreies Kleid und zog los, den Taschenbuch-Chef zu erobern.

In der Eile hatte ich bedauerlicherweise folgende Passage der Gebrauchsanweisung überlesen:

«Um eine optimale Haftung Ihres NudeBras zu gewährleisten, benutzen Sie bitte keine Feuchtigkeitscremes, Öle oder Duftstoffe im Brustbereich.»

Was soll ich sagen? Eine meiner Plastiktitten ging, von mir unbemerkt, auf Wanderschaft. Und es war ausgerechnet der Taschenbuch-Chef, der mich darauf aufmerksam machte, dass ein äußerst schwer identifizierbares, aber sehr unappetitlich aussehendes Objekt aus meiner linken Achselhöhle hervorluge.

Ich verbrachte viele Minuten auf der Damentoilette, um die falsche linke Titte aus meiner Achselhöhle und die falsche rechte Brust von meiner echten Brust zu entfernen. Ich bin heute noch froh, dass meine Brustwarze dabei nicht draufgegangen ist. Habe ich erwähnt, dass der Kleber eine hartnäckige Verbindung mit meinem Kleid eingegangen war?

Als ich mich wieder auf die Feier traute, war der Taschen-buch-Chef mit der Assistentin vom Sachbuch-Chef verschwun-den, und ich hatte den Eindruck, dass sich viele bei meinem Anblick fragten, wie man durch den Besuch der Toilette so derartig viel Oberweite einbüßen kann.

«Was werden Sie denn obenrum tragen?», fragt Renate Küppers-Gökmen.

«Ich habe da ein schwarzes Minikleid gesehen, allerdings bei H&M.»

«Macht nichts, Kindchen. Diese Schuhe werten alles auf. Da könnte der Rest Ihrer Kleidung auch von Tengelmann sein.»

Das überzeugt mich. Und ich kaufe die teuersten Schuhe meines Lebens.

«Und was haben die gekostet?»

«Silke, bitte, ich habe doch schon gesagt, dass ich darüber nicht sprechen möchte.»

«Das heißt mehr als zweihundert Euro. Und heute Abend stolzierst du auf deinen Lorenzi-Tretern durch den Gucci-Store und machst einen auf Konversation. Pass bloß auf, dass du mir nicht durchdrehst.»

«Machst du Witze? Ich bin längst durchgedreht. Gucci ist doch nur die Generalprobe für übermorgen. Hab ich dir eigentlich schon vorgelesen, was Johann Berger auf den Zettel geschrieben hat?»

«Mehrmals. Ich kann den Text auswendig. Aber lies es nochmal vor.»

«Okay, wenn du unbedingt willst. Also: ‹Liebe Linda, tausend Dank für den schönen Abend – und die Nacht. Haben Sie am Donnerstagabend Zeit? Dann würde ich Ihnen – unter anderem – gern das Du anbieten. Herzlichst: Ihr Johann.› Dann kommt noch seine Handynummer. Komm, Silke, das hat Stil, oder?»

«Um welche Uhrzeit seid ihr verabredet?»

«Er holt mich um zwanzig nach acht ab.»

«Zwanzig nach acht? Komische Zeit, oder?»

«Ich denke, er will vorher noch die ‹Tagesschau› sehen. Das macht mir Sorgen. Habe gestern extra auch mal wieder Nachrichten geguckt.»

«Und?»

«Jens Riwa ist noch dicker geworden. Ein Wunder, dass bei dem zwischen Kinn und Brust noch eine Krawatte passt.»

«Wenn sich dein Herr Berger über Politik unterhalten wollte, hätte er sich bestimmt nicht mit dir verabredet.»

«Was meinst du: Soll ich meinen Mann vom Meer zur Begrüßung auf den Mund küssen?»

«Bloß nicht! Das wirkt, als seist du leicht zu haben.»

«Hallo, Silke, aufwachen. Ich habe bereits in der ersten Nacht mit ihm geschlafen. Ich war doch schon längst leicht zu haben.»

«Aber du solltest ihn unbedingt noch etwas im Ungewissen lassen, ob du auch eine Fortsetzung wünschst. Der Mann kann doch nicht wissen, ob dir die Nacht mit ihm gefallen hat. Und so wie du ihn schilderst, kann ihm etwas Unsicherheit nicht schaden. Also sei zurückhaltend und abwartend. Außerdem ist er verheiratet. Du solltest zumindest so tun, als würde das moralische Bedenken bei dir auslösen. Das kommt sympathischer rüber.»

«Sonst noch was?»

«Frag ihn beim Abschied auf keinen Fall, wann ihr euch wieder seht. Setz ihn nicht unter Druck. Noch nicht. Sei unkompliziert, fröhlich und unverbindlich oder tu zumindest so. Deine große Chance ist, das Gegenteil von dem zu sein, was er zu Hause hat.»

«Woher soll ich denn wissen, was er von zu Hause her kennt?»

«Das kann unmöglich dein Ernst sein. Schau dich an, wie du im letzten Jahr deiner Beziehung warst: Genau das hat er zu Hause rumsitzen.»

«Moment mal. Willst du damit sagen, ich hätte Draco in die Arme der anderen getrieben und sei quasi selbst schuld, dass er mich betrogen hat?»

«Nein, aber die andere hat ihm das Versprechen gemacht, unkompliziert und fröhlich zu sein und auch in fünf Jahren noch mindestens einmal am Tag Lust auf Sex zu haben. Und dein bescheuerter Draco hat ihr das geglaubt. Und genau dieses Versprechen wirst du deinem Herrn Berger auch geben. Aber der Mensch kann eben nicht beides haben ...»

«... ja, ich weiß: Versprechen und halten.»

Nicht jedes kluge Buch ist auch ein gutes Buch. Nicht jeder Song von Coldplay ist automatisch eine Offenbarung. Und nicht jedes Gucci-Kleid macht dich zum Model. Das scheinen jedoch einige Menschen noch nicht verinnerlicht zu haben.

«Linda, nun schauen Sie sich mal dieses ekelhafte Winkfleisch an!»

Die Stimme von Renate Küppers-Gökmen klingt selbst gedämpft noch wie ein sehr alter Diesel-Benz, der gerade nach langer Ruhephase zur Überraschung aller wieder angesprungen ist.

Ich fühle mich in zweifacher Hinsicht verunsichert. Ich muss mich bei der Gucci-Eröffnung an meine wackeligen Schuhe gewöhnen und an die Logo-Dichte um mich herum. Um auch Laien wie mich zu informieren, haben sich Designer ja darauf verlegt, ihre Namen nicht mehr dezent zu verstecken. Keine Gürtelschnalle, die nicht direkt auf ihren Designer schließen ließe.

Auch eigenwillig, dass hier alle statt «Eröffnung» oder «Einweihung» von einem «Opening» reden. Das aussagekräftige Wort «Scheiße» ist ja ebenfalls aus der Mode gekommen. Es heißt jetzt «Shit» oder «Fuck» oder auch «Son of a bitch» – für die Fortgeschrittenen, die ganz besonders viele Agentenfilme in der Originalfassung gesehen haben. Ist schon schlimm, wie sehr Hollywood unser Leben beeinflusst. Meines übrigens auch.

Ich habe mir extra ein aufklappbares Handy gekauft, nachdem ich die Thrillerserie «24» im Original auf DVD gesehen hatte. Es sieht halt irre lässig aus, wenn Jack Bauer im Kugelhagel sein Telefon aufklappt und ruft: «Mister President, this is Agent Bauer, we do have a situation here!»

Ich würde so wahnsinnig gerne einmal in meinem Leben sagen: «We do have a situation here!» Aber ich sage leider auch brav am Telefon: «Alles klar», statt wie Jack Bauer: «Copy

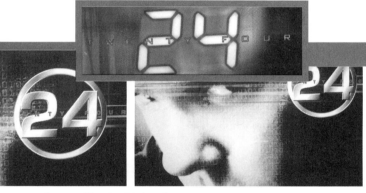

that!» Silke und ich schwärmen von Männern, die sich im Gebrauch von Schusswaffen auskennen, den einen oder anderen Staatsfeind ausgeschaltet haben und in Gefahrensituationen Sachen brüllen wie «Stay right behind me!» oder «I'll get you out of here!».

Irgendwie macht das doch viel mehr her, als wenn einer sagt: «Erlauben Sie, dass ich die Rechnung übernehme?» Oder: «Darf ich Ihnen meinen Schirm anbieten?»

Wir schämen uns dann auch immer ganz doll für unsere

steinzeitlichen Gelüste nach einem starken Mann und für unsere Sehnsucht, beschützt zu werden.

Aber wozu braucht unsereins schon Schutz? Wovor, verdammt, soll die moderne Frau gerettet werden? Die größten Heldentaten, die meine Männer so begangen haben, waren, ihrer Mutter zu sagen, dass man nichts Selbstgestricktes mehr geschenkt haben möchte, in das Kabel der neuen Stehleuchte einen Dimmer einzubauen und mir zu beichten, dass es eine andere gibt.

Ich muss zugeben, dass ich mich manches Mal extra unbeholfen anstelle, um einem Mann das Gefühl zu geben, ich könne ihn für irgendwas brauchen. Ist schon irre, dass emanzipierte Frauen mittlerweile der Beziehungshygiene zuliebe so tun müssen, als seien sie gar nicht so emanzipiert.

Meine Cousine hat ihrem Mann bis heute nicht gesagt, dass sie inzwischen mehr verdient als er. Draco glaubt, dass ich große Angst vor Bohrmaschinen habe und nichts hochheben kann, was mehr als zweieinhalb Kilo wiegt. Und Markus ist tatsächlich bis heute der Meinung, seine Frau habe ganz dolle Angst im Dunkeln. Dabei hatte Silke beim ersten gemeinsamen nächtlichen Spaziergang nur ihm zuliebe schreckhaft getan. «Sonst», sagt sie, «hätte sich der Trottel doch nie getraut, den Arm um mich zu legen.»

Neben mir ertönt wieder die Diesel-Stimme von Renate Küppers-Gökmen.

«Altern ist ja keine Sünde, aber da vergeht einem wirklich der Appetit! Schon Coco Chanel meinte, dass nichts das Alter grausamer verrät als nackte Oberarme.»

Jetzt sehe ich auch, was Erdals Mutter so aufregt und was genau sie mit «Winkfleisch» gemeint hat. Eine ältere Frau im ärmellosen Etuikleid hebt gerade ihr Glas, und die zwei bis drei Kilo herabhängende Hautfalten am Oberarm machen ihr diese Bewegung sicherlich nicht gerade leichter.

«Linda, lassen Sie sich einen guten Rat von einer alten Frau geben: Winken Sie ab fünfunddreißig niemandem mehr zurück, wenn Sie nicht ganz sicher sein können, dass Ihre Arme bedeckt oder unbeobachtet sind.»

Die Modenschau beginnt, und Siebzehnjährige, die nicht mehr wiegen als ein Magermilchjoghurt, schweben an mir vorbei mit ausdruckslosen Engelsgesichtern, auf denen die Zeit noch keine Zeit gehabt hat, Spuren zu hinterlassen. Unter normalen Umständen hätte sich jetzt so langsam meine Laune verschlechtert, denn im direkten Vergleich zu Models kommt man als normaler Mensch ja doch eher suboptimal rüber. Aber heute sind keine normalen Umstände. Heute trage ich hohe Schuhe und bin verliebt. Heute freue ich mich auf morgen. Ich bin außerordentlich versöhnt mit mir.

Gut, auch meine Oberarme sind nicht gerade das, was man in der Sprache von Fitnesstrainern als «definiert» bezeichnet. Aber letztendlich ist das doch alles eine Frage der Definition, und außerdem: Nur ein glücklicher Oberarm ist ein schöner Oberarm.

Und man muss auch mal sagen dürfen, dass der landläufige Model-Oberarm auch keinen besonders schönen Anblick bietet. Zwar ist er faltenfrei, jedoch auch so derartig fleisch- und muskelfrei, dass er aussieht wie ein abgenagter Knochen von der Sorte, wie man sie häufiger in Wüstenlandschaften rumliegen sieht.

Model-Oberschenkel sind so dünn, dass ich mich frage, was eigentlich passiert, wenn eins dieser Mädchen mal eine schwere Einkaufstüte schleppen müsste. Im Grunde genommen sind Model-Oberschenkel ja nichts anderes als die Verlängerung der hohen Absätze bis zur Hüfte.

«Mein Sohn hat angedeutet, dass der Mann, um den es bei Ihnen morgen geht, anderweitig liiert ist.»

«Wenn Erdal etwas andeutet, heißt das, dass Sie bis ins kleinste Detail informiert sind, oder?»

«Mein Erdi ist ja Gott sei Dank nicht besonders diskret. Davon hat man als Mutter ja viel mehr als von diesen verschlossenen, heterosexuellen Jungs, die zu Hause kein intimes Wörtchen über die Lippen kriegen. Erdi und ich telefonieren mehrmals am Tag. Im Moment ist er sehr aufgewühlt wegen der Sache mit Karsten. Sie haben es sicher schon bemerkt, dass mein Sohn ungeheuer feinstofflich veranlagt ist. Ach, ich wünsche mir so, dass sich das wieder einrenkt. Karsten scheint mir genau der Richtige für meinen Schatz zu sein.»

«Ich habe Karsten erst einmal gesehen, aber ich glaube, Sie haben Recht.»

«Erdi sagte mir, dass Sie es mit einem verheirateten Wochenendpendler in Führungsposition zu tun haben. Das ist doch eine schöne Sache.»

«Finden Sie?»

«Affären sind was Wunderbares! Ich hatte so einige in meinem Leben und möchte keine davon missen. Ich stehe auf dem Standpunkt, dass man am Ende seines Lebens eher das bereut, was man nicht getan hat, als das, was man getan hat.»

«Eigentlich haben wir noch gar keine richtige Affäre.»

«Das wird schon noch. Sehen Sie bloß zu, dass Sie es rechtzeitig wieder beenden. Nach drei Monaten kommt eine Affäre in die Jahre.»

«AFFÄREN GEHEN SCHNELL VORBEI – WARUM SOLLTEN SIE LANGSAM ANFANGEN?»

Es war ja eigentlich klar, dass es zu genau dem Dialog kommen würde, vor dem in allen Ratgebern zur Beziehungsanbahnung eindringlich gewarnt wird. Ich dachte, ich höre nicht recht, als ich eine Stimme den verbotenen Satz sagen höre: «Wann sehen wir uns wieder?»

Erschrockenes Schweigen.

Dann die zögernde Antwort: «Ich weiß nicht.»

«Nächste Woche? Wann hast du Zeit? Am Montagabend?»

«Könnte sein. Wahrscheinlich schon.»

«Ich komme um acht zu dir. In Ordnung?»

«Okay.»

«Ich kann es kaum erwarten.»

Ich steige die zwei Stockwerke zu meiner Wohnung hoch, als sei ich mit Stilettos an den Füßen geboren worden. Es ist vier Uhr morgens. Um mich besonders unverbindlich zu präsentieren, hatte ich nicht die ganze Nacht bei Johann Berger verbringen wollen.

Ich hatte ihn zur Begrüßung auch nicht auf den Mund geküsst. Nicht nach seiner Frau gefragt. Nicht von Geschlechtskrankheiten und Geschlechtspartnern gesprochen. Nicht gefragt, ob er sich gleich morgen trennen wird, um mich gleich übermorgen zu heiraten. Und nicht gefragt, wann wir uns wieder sehen. Ich hatte mich an die Regeln gehalten.

Aber er nicht.

Es ist kompliziert und eigenartig. Dieser Mann hat sich bei unserer zweiten Verabredung nicht die geringste Mühe gegeben, sich auch nur annähernd der Ratgeberliteratur entsprechend zu benehmen. Er hatte mich bereits im Treppenhaus geküsst, als wir uns Richtung Restaurant aufmachten. Auf den Mund. Was soll man da machen? Da will man ja auch nicht kleinlich sein und sich mit den Worten wegdrehen: «Nicht doch, Herr Berger, Sie könnten sonst den Eindruck erwecken, Sie seien leicht zu haben.»

Auf dem Weg zum Restaurant grübelte ich so intensiv über die Frage, ob ich es angesichts seines Treppenhauskusses wagen könnte, mich bei ihm einzuhaken, ohne als liederliche Schlampe zu gelten, dass ich ganz vergaß, ihm zuzuhören.

«Linda? Ist das ein Ja oder ein Nein?»

«Oh, Entschuldigung. Wie war die Frage?»

«Ob Sie die Nacht mit mir bereut haben?»

«Bisher noch nicht», sagte ich wahrheitsgemäß und griff ohne Rücksichten auf jedes Risiko nach seinem Arm. Wir gingen ein paar Minuten zu Fuß ins «Mao Thai».

Ich hatte extra ein asiatisches Restaurant ausgesucht, weil man da viel essen und somit einen lebenszugewandten und sinnlichen Eindruck vermitteln kann, ohne dass man nachher beim Sex weniger mit dem Sex als mit dem Einziehen des eigenen Bauches beschäftigt ist.

Wir gingen untergehakt durch die Straßen, und das ging gut. Es gibt ja Leute, mit denen man keinen gemeinsamen Rhythmus findet. Der eine macht zu große, der andere zu kleine Schritte, und man trippelt unharmonisch nebeneinanderher und redet sich ein, dass das nichts zu bedeuten habe.

Johann Berger und ich dagegen schwebten im wunderbarsten Gleichschritt durch die Nacht, und ich redete mir ein, dass das was zu bedeuten habe.

Leider begegneten wir nur wenigen Leuten, und ich fühlte mich enttäuscht, als würde ich ein neues Sommerkleid ausführen, und dann ist es zu kalt, um den Mantel auszuziehen.

Johann Berger gefiel mir so ausnehmend gut, dass ich am liebsten jeden Kellner und Zeitungsverkäufer im «Mao Thai» auf den holden Liebreiz meines Begleiters hingewiesen hätte.

Waren dem Gast am Nebentisch womöglich seine Augen entgangen? Sie waren blau mit schwarzen Pünktchen darin! Ich meine, auf so was muss man die Menschheit doch aufmerksam machen.

Und die winzige Kellnerin, hatte sie sein Haar genug gewürdigt? Es war dunkelblond, dick und mit exakt den leichten Wellen drin, die sich jeder Mensch wünscht, dessen fisselige Haare ohne Umwege direkt von a nach b wachsen.

Und dann erst seine Hände! Also ehrlich, da kannst du Eintritt verlangen, wenn du solche Hände hast.

Johann ist dieser norddeutsche Typ Mann, wie er vermehrt in dunkelblauen Rollkragenpullovern auf Segelschiffen in Filmen vorkommt, in denen man auf Anhieb erkennen soll, wer der Gute ist. Natürlich gab ich mir alle Mühe, meine Hingerissenheit nicht zu zeigen. Ich fragte mich dann aber doch, warum ich mich den ganzen Abend an Regeln hielt, die diesem Mann nicht einmal bekannt zu sein schienen.

Nicht nur, dass er seine Hand auf meine legte. Nein, er fragte mich auf dem Nachhauseweg auch noch, ob ich nicht mit zu ihm kommen wolle. Zu Hause servierte er Rotwein, fing das Fummeln an und machte auch wenig später im Bett nicht den Eindruck, als bemühe er sich um die würdevolle Mischung aus Nähe und Distanz, wie man sie angeblich bei ersten Verabredungen wahren soll.

Sollte ich schreiend rausrennen, weil er sich so verhielt, wie ich mich verhalten wollte? Ich meine, hätte ich mir auch nur eine einzige dieser Entgleisungen erlaubt, Erdal und Silke hätten mir am nächsten Tag den Kopf abgerissen.

Ich schlüpfe aus meinen Schuhen und lasse mich aufs Sofa sinken. Mein Handy brummt. Eine SMS von «Berger, mobil». Herzklopfen. Text: «Ich vermisse dich jetzt schon! Dein J.»

Noch mehr Herzklopfen.

Gepaart mit absolutem Unverständnis.

Ist das zu fassen? Wie kann jemand so unverschämt untaktisch sein? So ehrlich ohne Rücksicht auf Verluste? Hat der denn keine Freunde, die ihn vorher instruieren, was man tun darf und was nicht? Warum darf er das sagen, was ich mir mühsam verkneife? Warum darf er mir die Küsse geben, die ich für mich behalte, und die Geständnisse machen, die ich nicht mal heimlich zu denken wage? Warum hat er keine Angst, dass ich Angst bekomme?

Der will nicht lässig und unverbindlich sein. Das ist ja auch irgendwie lässig. Oder ist es im Grunde genommen eine Respektlosigkeit, dass er sich nicht die Mühe macht, sich mir zuliebe zu verstellen? Ich muss das mit Andreas diskutieren.

Johann Berger hat an diesem Abend alles falsch gemacht. Zu meinem Glück. Und ich habe ab jetzt definitiv eine Affäre mit einem verheirateten Mann. Zu wessen Unglück, wird sich zeigen.

Von: Andreas Szabo
Betreff: Re: Fehlverhalten?
Datum: 11. November 23:35:56 MESZ
An: Schumannli@aol.com

Hallo Linda,

wer sagt denn, dass sich dein neuer Lover nicht die
Mühe macht, sich dir zuliebe zu verstellen? Er hat
dir doch immerhin genau das gesagt, was du hören
wolltest, oder? Du hast versucht, ihn nicht zu verschrecken, weil wir Männer ja angeblich alle unter
Bindungsängsten leiden - verheiratete Männer womöglich noch viel mehr.

Er hat versucht, emotional zu sein, weil ihr Frauen
ja angeblich alle darauf steht, wenn wir unsere
Gefühle zeigen. Hat doch perfekt funktioniert, denn
er hat dich auf die Weise wieder in sein Bett ge-
quatscht.

Will ein Mann nur eine Affäre, ist eine Frau die
falsche, die das ganze Programm braucht. Sich zie-
ren, Händchen halten, Kinobesuche mit Knutschen in
der letzten Reihe, nicht ans Telefon gehen, zappeln
lassen, einen Schritt vor, zwei Schritte zurück:
Dieses ganze Getue macht ein Typ nur mit, wenn er
ernste Absichten hat.

Deiner hat den direkten Weg ins Bett genommen und
dir nicht erst nach der fünften Verabredung stam-
melnd gestanden, dass er sich in dich verlieben
könnte. Warum auch Zeit verschwenden? Affären gehen
schnell vorbei - warum sollten sie langsam anfangen?

Sei bloß nicht naiv. Eine Frau, die über ihr Bett einen rosafarbenen Himmel mit Lichterketten spannt, ist vielleicht nicht die Richtige, um bei einer Affäre mit einem verheirateten Mann die Nerven zu bewahren. Verlieb dich nicht, falls das überhaupt noch zu vermeiden ist. Hab Spaß. Hab Sex. Hinterlasse keine Spuren. Rufe ihn nie am Wochenende an, wenn er bei seiner Familie ist. Schicke zwischen Freitagnachmittag und Montagmorgen keine SMS. Geh nicht in Spesenrestaurants, denn da könnte man ihn kennen.

Knutsch nicht im Kino, denn du weißt nie, wer zwei Reihen hinter dir sitzt. Knutsch nicht im Auto, denn du weißt nie, wer neben dir an der Ampel hält. Sag ihm, er soll sein Handy abschalten, wenn ihr zusammen seid. Ich möchte nicht wissen, wie viele Ehen an der unglückseligen Mitwirkung einer Wahlwiederholungstaste zerbrochen sind. Auch die Liste «Versendete Nachrichten» muss regelmäßig gelöscht werden!

Trägst du Ohrringe? Vergewissere dich, dass sie beide noch in deinen Ohren stecken, wenn du nach Hause gehst. Sonst steckt einer womöglich irgendwann im Oberschenkel seiner Ehefrau.

Es gibt Tausende Möglichkeiten, wie Affären auffliegen können. Dumme Zufälle, unglaubliche Zufälle. Wir kennen doch alle diese absurden Geschichten, die so klingen, als stammten sie aus sehr schlechten Büchern. Und diese Geschichten sind meistens wahr.

Auch wenn du die Diskretion in Person wärst, ist

die Wahrscheinlichkeit groß, dass dir die Sache um
die Ohren fliegt. Gut, du betrügst niemanden. Aber
hab mal eine tollwütige Ehefrau auf den Fersen oder
einen zerbrochenen Typen, der von Gattin und Kind
verlassen wurde und in erster Linie dir dafür die
Schuld gibt.
Würde ich glauben, es nütze etwas, würde ich dir
raten, diese Affäre erst gar nicht zu beginnen.
Aber dafür ist es zu spät. Und Frauen mit Lichterketten überm Bett und künstlichen Kletterrosen am
Badezimmerspiegel glauben ja auch, dass Affären gut
ausgehen können.
Wahrscheinlich träumst du schon von einer lustigen
Patchworkfamilie, von einer nicht nachtragenden ersten Ehefrau (sie) und einer bis an ihr Lebensende
glücklichen zweiten Ehefrau (du), die natürlich nie
mit einer potenziellen dritten Ehefrau betrogen
wird. Vergiss es!

Gruß
Andreas

«ENTWEDER ICH BIN SCHLANK, WEIL ICH EIN PROBLEM HABE, ODER ICH HABE EIN PROBLEM, WEIL ICH NICHT SCHLANK BIN»

Diesmal bin ich die Andere. Diese geheimnisvolle und Furcht einflößende Andere. Die, von der du automatisch annimmst, sie sei schöner und jünger und dünner als du. Die, von der du glaubst, dass sie das Haus niemals ungeschminkt und nur auf hohen Absätzen verlässt.

Die Andere, die Gewissenlose, die keine Rücksicht nimmt, und auf dich schon gar nicht, und die ausgerechnet deinem Mann das Gefühl gibt, er sei etwas Besonderes. Und im schlimmsten Fall glaubt er ihr das sogar.

Aber um ehrlich zu sein, hatte ich es mir deutlich erhebender vorgestellt, die Andere zu sein und somit endlich auch mal eine Bedrohung. Es ist ja leider so, dass man sich selbst zu gut kennt, um länger als ein paar Sekunden von sich beeindruckt zu sein. Ich weiß, dass ich allzu oft das Haus ungeschminkt verlasse, und ich weiß auch, dass ich das lieber lassen sollte. Ich kenne meinen Körperfettanteil und meine Bildungslücken, kenne meine Ängste und meine Problemzonen, und ich fühle mich überhaupt nicht imposant genug, um jemandes Leben zu zerstören.

Ich habe eher mal wieder Sorge um mein eigenes Leben,

denn mir war eine sehr belastende Statistik aus einem der zahllosen Ratgeber wieder eingefallen: Nur jeder fünfte verheiratete Mann entscheidet sich gegen die Gattin und für die Geliebte. Sollte Andreas Recht haben? Der hat ja sowieso ständig Recht. Irgendwie auch unsympathisch! Er kennt mich wesentlich besser, als es einem charakterlich fragwürdigen Menschen wie mir lieb sein kann.

Nur jeder Fünfte. Na, da habe ich ja ganz schlechte Karten. Es wird andersrum sein: Sie wird mein Leben zerstören! Die Ehefrau, die ihm ein süßes Kindlein geschenkt, wahrscheinlich drei Tage nach der Entbindung schon wieder in Konfektionsgröße sechsunddreißig gepasst und noch dazu womöglich nie ungeschminkt das Eigenheim in der bevorzugten Wohngegend verlassen hat.

Verdammt, ich bin gar keine Bedrohung.

Zumindest ist sie die größere!

Und außerdem weiß sie nicht von mir. Wie soll sie also Angst vor mir haben? Das ist unheimlich, dass etwas in unser beider Leben geschieht und sie davon nichts weiß. Dass es eine Verbindung zwischen uns gibt, die sie nicht kennt. Dass ein Kampf begonnen hat, ohne ihr Wissen. Wahrscheinlich ist sie schon dabei, diesen Kampf zu gewinnen. Sie hat keine Ahnung, und das macht sie so unschuldig, so unantastbar, so überlegen. Vielleicht wird sie nie von mir erfahren.

Ich werde diskret sein, wie Andreas gesagt hat. Ich werde eine untadelige Geliebte abgeben, die ihre Hoffnungen für sich behält und die keine Schmuck- oder Wäschestücke in den Bettritzen liegen lässt.

Seine Frau wird meinen Namen nie erfahren, nie mein Gesicht sehen. Und ich werde keine Fußabdrücke auf der Seitenscheibe seines Autos hinterlassen. Ich werde aus ihrem Leben wieder verschwinden, ohne dass sie weiß, dass ich eine Rolle darin gespielt habe.

War es Absicht? Wollte sie, dass ich von ihr erfahre? Wollte sie Fakten schaffen? Ihn zwingen, sich zu entscheiden?

Ich werde es nie erfahren, denn sie würde mir wohl kaum die Wahrheit sagen: Doris Korn aus der Spesenabteilung. Ich weiß nicht, worunter ich mehr gelitten habe, unter der Trennung von ihm oder unter dem Gedanken an sie.

Draco hatte mir ihren Namen genannt, als es um die Herkunft der Fußabdrücke ging. Ich hatte diese Frau nie gesehen, nie von ihr gehört. Heute denke ich, er hätte mir einen Gefallen getan, wenn er sich geweigert hätte, ihren Namen preiszugeben.

Doris Korn. Die Andere. Die Gewinnerin. Und ich, Linda Schumann, wieder nur die eine: die Verliererin.

Obschon ich sie nie gesehen habe, hatte Doris Korn ein Gesicht, ein schönes natürlich und dennoch eine Fratze. Meine Güte, wie oft habe ich mir die andere ausgemalt und mir dabei nichts erspart, vom Sex bis zum Sonntagsspaziergang. Meine Phantasie ließ sich nicht zurückpfeifen. Küsste er sie auf die Stelle hinter dem Ohr so wie mich? Wusste sie bereits, dass er auf der Innenseite seiner Oberschenkel kitzelig ist?

Wie oft habe ich mir Situationen vorgestellt, in denen wir uns begegnen. Situationen, die ich selbstverständlich mit einer derart natürlichen Grazie und Souveränität meistern würde, dass der frevelhafte Draco sofort alles bereuen und Doris die Dumpftorte verlassen würde. Meine Phantasien haben alle dasselbe Happy End: Draco verlässt die andere. Draco will mich zurückhaben. Aber ich will ihn nicht mehr!

«Du träumst davon, dass ihr nicht mehr zusammenkommt?»

«Richtig.»

«Aber dann ist doch alles genau so, wie du es haben möchtest. Du hast ihn nicht mehr. Fertig ist das Happy End.»

«Silke, ich träume davon, ihn nicht mehr zu wollen. Das ist ein großer Unterschied. Echtes Desinteresse ist die edelste und tödlichste Form der Rache.»

«‹Rache ist die feigste Form der Trauer›», sagte meine Oma immer.»

«Ich werde zu der Hochzeit gehen, bei der Draco Trauzeuge ist. Ich muss die andere endlich mal sehen. Vorher finde ich keinen Frieden.»

«Bist du überhaupt eingeladen?»

«Irgendwie ja. Die Einladung kam ja schon vor Monaten, und damals war ich als Freundin des Trauzeugen natürlich automatisch mit eingeladen. Ich werde da aber erst nach dem gesetzten Essen hingehen, wenn die Party schon voll im Gang ist.»

«Ich halte das für eine extrem bescheuerte Idee. Draco will Doris Korn bei der Hochzeit zum ersten Mal offiziell vorstellen. Wenn du dich da als Racheengel lächerlich machst, wirst du bloß Mitleid oder Verachtung ernten. Lass es sein, Linda, ich bitte dich. Du würdest nur dir selbst wehtun. Wenn du Draco vergessen willst, darfst du ihn nicht wieder sehen.»

«Aber ich will ihn doch gar nicht vergessen!»

«Wäre aber besser, weil er dich vergessen hat. Du weißt genau, dass er keinen Gedanken mehr an dich verschwendet – ausgenommen seinen Ärger, dass du dich geweigert hast, den Plasmafernseher auszuliefern.»

«Den hat er mir zu Weihnachten geschenkt! Das weiß er ganz genau!»

«Hör auf, dich zu quälen, und halt dich endlich von deinem Exfreund fern. Das steht doch in jedem Ratgeber, den wir lesen, seit wir zwölfeinhalb sind.»

«Ist das nicht traurig, dass ich mir mit fünfunddreißig in alten Büchern wieder heulend die Stellen durchlese, die ich mit fünfzehn unterstrichen habe?»

«Immerhin passt du jetzt auch wieder in die Jeans, die du mit fünfzehn getragen hast.»

«Endlich schlank, aber leider zu spät. Ich gehe also nicht zu der Hochzeit? Ich fahre nicht mehr nachts wie zufällig an seiner Wohnung vorbei, um nachzuschauen ob noch Licht brennt? Ich wechsle die Straßenseite, wenn er mir Arm in Arm mit der anderen entgegenkommt? Ich meide die Restaurants und Bars, in die er immer gern gegangen ist? Silke, ich habe nur eine Chance: Ich muss die Stadt verlassen.»

«Copy that.»

Eine Woche später war ich auf dem Weg nach Berlin.

Man muss Berlin-Mitte schön finden wollen. Und ich war absolut dazu bereit. Schon als ich zum ersten Mal zu Andreas' Wohnung am Prenzlauer Berg fuhr, fühlte ich mich wohl zwischen den Plattenbauten und grauen, unsanierten Häusern, die aussehen, als würde man sie gleich im Rückspiegel zusammenfallen sehen. Berlin ist eine Stadt, in der man sich nicht wie ein Verlierer vorkommt. Selbst dann nicht, wenn man einer ist.

Man gehe mal eine halbe Stunde an der Hamburger Außenalster spazieren oder laufe die Münchner Maximilianstraße entlang: Da gehen die Leute nicht einfach, da flanieren sie. Und da huscht auch keiner mal eben im Jogginganzug beim Extra-Markt vorbei, um noch schnell eine Pizza für

den Abend zu kaufen. In dem Outfit, in dem ein Mitte-Bewohner ein Restaurant besucht, würde sich der durchschnittliche Münchner nicht mal zu den Mülltonnen raustrauen.

Das Beste an Berlin: Es ist allein meine Stadt. Eine Stadt ohne Erinnerungen und ohne Hoffnungen. Hier gab es weder die Angst noch den heimlichen Wunsch, um die nächste Ecke zu biegen und plötzlich vor ihm zu stehen. Nicht diese fatale Verlockung, vielleicht doch mal spontan bei ihm vorbeizuschauen, weil die Badewannenmatte mit den türkisfarbenen Noppen ja schließlich doch irgendwie mir gehört.

Der Liebeskummer war zwar nicht vorbei, aber die Sehnsucht nach dem, was ich verloren hatte, wurde mit einem Mal erträglich. Selbstverständlich fühlte ich mich weiterhin unglücklich und einsam, aber immerhin saß ich nicht mehr wie mit fünfzehn verheult auf meinem Sitzsack und wartete regungslos, dass es vorbeiging oder er vorbeikam.

Ich war stolz auf mich. Ich hatte aus meinen alten Fehlern gelernt. Dieses Mal würde ich ganz neue machen.

Ich liege im Bett meiner neuen Wohnung und schaue mich um. Andreas' Schlafzimmer wirkt karg wie eine Mönchszelle, nur auf einem Sideboard türmen sich zig Zeitschriften. Als ich ankam, lagen dort ausschließlich «Spiegel» und «Weltwoche» sowie in Jülich unbekannte Magazine mit seltsamen Namen wie «Qvest», «Sleek», «Dummy» und «Feld».

Ich hatte das Sortiment vergrößert um «Brigitte» (mit dem Dossier «Neuanfang»), «Petra» (mit der Titelgeschichte «Zehn Strategien gegen Liebeskummer») und «Cosmopolitan» (mit dem versiegelten Extraheft im Heft «Die Geheimnisse der Sexgöttinnen – So machen Sie ihn wirklich verrückt»). Selbstverständlich sorgte ich dafür, dass immer ein «Qvest»-Heft zur Tarnung obenauf lag.

Den gestrigen Abend hatte ich in Gesellschaft eines Krautsalates der Firma «Weight Watchers» und einer Flasche «Mumm extra dry» verbracht und in Erinnerungen an die Nacht mit Johann geschwelgt.

Diesmal konnte ich mich auch recht gut erinnern, weil ich nicht ganz so viel getrunken hatte wie in unserer ersten Nacht. Das ist wichtig, denn schöne Erinnerungen sind genauso wichtig wie schöne Erlebnisse. Was hast du davon, wenn du komplett betrunken die tollsten Gespräche führst, die interessantesten Stellungen ausprobierst, endlich zum ersten Mal Telefonsex hast oder dich die geniale Eingebung für eine Romantrilogie überfällt – und du am nächsten Morgen nur noch weißt, dass du irgendwann zu später Stunde von Weißwein auf Cuba Libre umgestiegen bist?

Ich erinnerte mich glückselig vor mich hin. Seine Hände: zum Malen schön und nicht primatenartig, aber dennoch männlich behaart. Seine Küsse: wenig Spucke, viel Gefühl. Seine Redebeiträge: frei von Peinlichem. Das hat man selten bei Männern.

Ungewöhnlich fand ich, dass er gern übers Essen spricht, im Besonderen über Hausmannskost. Wir hatten eine längere Diskussion über Rouladen und Frikadellen und waren uns nicht ganz einig, ob man beides am besten mit Kartoffeln, Kroketten, Kartoffelbrei oder Bratkartoffeln isst.

Wahrscheinlich bekommt der arme Mann zu Hause nichts Vernünftiges vorgesetzt. Seine Frau ist bestimmt so ein Rohkostgerippe mit strengen Falten um den Mund und ständig einem Möhrenschnitz zwischen den schmalen Lippen.

Mich hingegen kann man getrost als guten Esser bezeichnen. Ich esse gerne und gerne viel und halte mich, wenn ich für zwei Personen koche, immer an die für vier Personen angegebenen Mengen. Damit bin ich eigentlich immer recht gut gefahren. Ich kenne keinen Mann, der es mag, wenn er das Fleisch auf seinem Teller erst nach langem Suchen und dann auch eher zufällig unter der crazy Zucchiniblüten-Deko entdeckt.

Wenn ich mich in einer ausgeglichenen Gemütsverfassung befinde, hadere ich grundsätzlich mit meinem Gewicht. Nichts ist für meinen Körper dramatischer als undramatische Zeiten. Meine psychosoziale Beschaffenheit stellt sich folgendermaßen dar: Entweder ich bin schlank, weil ich ein Problem habe, oder ich habe ein Problem, weil ich nicht schlank bin. Es wird also mein Lebtag etwas geben, worunter ich leiden kann. Und das ist doch irgendwie auch beruhigend.

So idealgewichtig wie derzeit bin ich allerdings schon sehr lange nicht mehr gewesen. Die Trennung hat mir grob geschätzt etwa vier Kilo gebracht. Der Umzug nach Berlin nochmal eineinhalb. Für die nächste Zeit rechne ich mit mindestens zwei Kilo, die durch Zusatzverbrennung durch Verliebtsein und regelmäßigen Sex abgehen. Wenn man nun noch so wie Andreas und Silke davon ausgeht, dass Johann nicht seine Frau, sondern mich in etwa sechs Wochen verlassen wird, wären das zusätzliche vier Trennungsschmerz-Kilo.

Sechs Wochen. Das heißt, dass ich Silvester höchstwahrscheinlich wieder in das Kleid passen werde, das ich zu meinem Abiball getragen habe. Ob ich Andreas bitten soll, es mir vorsichtshalber schon mal zu schicken?

Nein, ich sollte wirklich nicht so pessimistisch an die Sache herangehen. Noch habe ich überhaupt keinen Grund anzunehmen, dass Johann Berger es nicht ernst mit mir meint. Oder es zumindest demnächst ernst mit mir meinen könnte.

Warum halten es eigentlich alle für so komplett unwahrscheinlich, dass sich dieser Mann aufrichtig in mich verliebt? So was kann doch passieren. Sogar mir. Warum denn nicht? Leute entscheiden sich jeden Tag neu und verlassen Partner und Kinder. Es ist möglich!

Ich will, dass sich dieser Mann für mich entscheidet. Und ich hatte mit meiner modischen Aussage, gepaart mit emotionaler Zurückhaltung, doch einen großen Schritt in die richtige Richtung gemacht. Minirock plus Minigefühl: Ich kriege dich, Johann Berger! Eins sage ich dir: Bis Silvester gehörst du mir!

Das hatte ich ihm natürlich nicht gesagt. Ebenso wenig, dass ich mir gut vorstellen könnte, die Weihnachtstage mit ihm zu verbringen. Man soll ja nichts überstürzen.

Ich stehe seit Minuten gedankenverloren vor dem Spiegel. Meine Zähne dürften jetzt blank genug geputzt sein. Der Nachteil an der Frischverliebtheit ist ja, dass man die Dinge nur noch wie in Trance und entsprechend unaufmerksam tut. Erst gestern war ich träumend eine Runde durch den Volkspark Friedrichshain spaziert und hatte erst auf dem Rückweg gemerkt, dass ich noch immer die Mülltüte mit mir rumtrug, die ich entsorgen wollte. Anschließend hatte ich mir aus Versehen eiskaltes Badewasser eingelassen.

Jetzt noch eine Runde Zahnseide. In diesen Tagen kann man sich ja gar nicht genug pflegen.

Wie war der gestrige Abend zu Ende gegangen? Hm, ich weiß noch, dass mit dem Alkoholpegel auch meine Verliebtheit dramatisch gestiegen war. Ich hatte versucht, Erdal zu erreichen, aber der war auf der Party in Travemünde, wo er Karsten treffen würde. Silke nahm auch nicht ab.

Daraufhin hatte ich noch mehrmals die Liebeskummersongs von Andreas gehört. Von Kummer bei mir selbstverständlich keine Spur. Schön, wie vielseitig solch Liedgut einsetzbar ist.

Und dann hatte ich ...

O nein, das hatte ich nicht wirklich, oder?

Bitte nicht!

Ich haste mit Zahnseide im Mund ins Wohnzimmer. Mein Handy liegt zwischen der leeren Mumm-Flasche und einem Rest Krautsalat, in dem zwei Zigarettenkippen keine besonders gute Figur machen.

Panisch klappe ich das Telefon auf.

Hatte ich es getan? Hatte ich Johann Berger samstags um zwei Uhr nachts eine liebessehnsüchtige SMS geschrieben? Ohne zu wissen, ob seine Frau Zugang zu seinem Handy hat, sei es nun offiziell oder inoffiziell?

Verdammt, vielleicht war schon alles vorbei, ehe es richtig angefangen hatte.

Ich wähle «Nachrichten».

Ich wähle «Ausgang».

Nichts! Gott sei Dank.

Ich finde meine gefühlsduselige Nachricht schließlich unter «Entwürfe». Beim Lesen schäme ich mich. Teufel Alkohol, kann man da nur sagen. Ein Segen, dass ich aufgrund meines Promillepegels gestern Nacht vergessen hatte, die verhängnisvolle SMS abzuschicken.

Ich beschließe, diesen Sonntag so zu verbringen wie die Heldinnen in den Romanen, mit den englischen Landhäusern aus meinem heimischen Bücherregal. Sie trinken Tee, essen selbst gebackene Scones mit flüssiger brauner Butter, tragen dicke Socken, hüllen sich in kuschelige Decken und blicken, während es draußen langsam dunkel wird, von weichen Sofas in die unwirtliche Landschaft hinaus. Meist flackert noch ein Kamin, ein reinrassiger Labrador liegt schlafend zu Füßen der Heldin, und ein junger Landadeliger, der Edward oder Timothy heißt, ist unterwegs, um der Heldin sein Herz und ein paar eigenhändig geschossene Rebhühner zu schenken.

Ich versuche, diese Szenerie so naturgetreu wie möglich nachzustellen. Tee und dicke Socken hatte ich, auch ein paar greise Butterkekse, die ich ganz hinten im nicht gerade gut bestückten Vorratsschrank fand. Das Sofa war allerdings etwas durchgesessen, aber ich hatte es mit einer rosa Kuscheldecke aufgemöbelt, die ich wohlweislich aus Jülich mitgebracht hatte.

Bevor ich mich eingelebt hatte, war Andreas' Wohnung, nun, man kann es ihm nicht übel nehmen, durch und durch männlich gewesen. Lichtquellen dienten ausschließlich dem Spenden von Licht, Essbares dem Stillen von Hunger, das Badezimmer der Säuberung des Körpers. Absolut abwesend waren essenzielle Dinge wie Blumenvasen, Tischdecken und

Kerzenhalter. Ganz zu schweigen von so genannten Hinstellerchen. Auf diesen Notstand hatte ich bereits in einer meiner ersten Mails an Andreas hingewiesen.

Von: Linda Schumann
Betreff: Tiefkühlpizza bei 100 Watt
Datum: 4. Oktober 12:45:19 MESZ
An: Aszabo@aol.com

Lieber Andreas,
vielen Dank für den Hinweis auf den Extra-Markt
um die Ecke. Die haben da auch eine beeindruckende
Haushaltswarenabteilung, was dir bisher entgangen zu sein scheint. Es gibt sogar Duftkerzen mit
Vanillearoma, außerdem sehr günstige Teelichte im
Hunderterpack und Soft-tone-orange-Birnen mit vierzig Watt, die ein sehr angenehmes Licht spenden.
Ich habe mir auch erlaubt, zwei Lichterketten zu
kaufen, mit denen ich das Schlafzimmer etwas
heimeliger gestalten will.
Stofftiere habe ich erst mal
noch keine besorgt. Ich finde,
die müssen irgendwie von selbst
zu einem kommen. Ein Stofftier
muss dich finden, es braucht eine
eigene Geschichte. Ich kann zu
allen meinen Stofftieren eine
Geschichte erzählen, und sie
haben alle Namen: Headbanger,
Klumpfuß, Rover, Mottek.

Wie geht es den beiden Kuschelgespenstern Sue-
Ellen und J. R.? Ich hoffe, du behandelst sie pfleg-
lich. Du scheinst mir nämlich nicht gerade der Typ
zu sein, der sich im Umgang mit Stofftieren besonders gut auskennt.

Auch die Blumenpflege ist wohl
kein Steckenpferd von dir. Die
leeren Bier- und Cola-Kästen auf
deinem Balkon gedeihen allerdings
prächtig.
Interessant ist auch, dass du
dich in der ganzen Wohnung für
Fabrikhallenbeleuchtung entschieden hast. Außer im Badezimmer.
Hast du mal versucht, dir unter
der Funzel, die da an der Decke
baumelt, einen akkuraten Lid-
strich zu ziehen?
Ich habe die Stehlampe aus dem
Wohnzimmer neben das Waschbecken gestellt, um beim Schminken
wenigstens

147

einigermaßen zufrieden stellende Ergebnisse zu erzielen.
Du merkst, so langsam lebe ich mich ein.
Wie kommt es eigentlich, dass deine Wohnung so
gänzlich unberührt geblieben ist von jedweder weib-
lichen Dekorationsattacke?
Hast du denn keine deiner Freundinnen jemals mit
nach Hause genommen? Hat keine versucht, Spuren in
deinem Leben zu hinterlassen – und sei es nur in
Form einer Plastikrosengirlande am Küchenregal?
Ich kann mit Stolz von mir behaupten, dass ich in
vier Männerwohnungen Lichterketten platziert habe.
Ich nehme an, du hast nichts dagegen, dass ich die
Tiefkühlpizzen entsorgt habe, die seit anderthalb
Jahren abgelaufen sind. Auch die amorphe Masse
links unten im Gemüsefach, es könnte mal Petersilie gewesen sein, wirst du wahrscheinlich nicht
schmerzlich vermissen.
Du bist übrigens nicht der erste Mann, den ich
kenne, in dessen Kühlschrank sich aus ehemaligen
Lebensmitteln ganz neue Lebensformen entwickelt
haben.
Ach und noch was: Ich bin froh, hier zu sein. Es
geht mir zwar schlecht, aber deutlich besser.

Herzliche Grüße von Linda!

Liebe Linda!

Deinen Stofftieren geht es prächtig. Gleich nach deiner Mail habe ich sie in ein Paket gepackt und zur Post gebracht. Sie müssten übermorgen bei dir ankommen. Du brauchst also in keinem Fall neue zu kaufen! Womöglich nimmst du sie dann nicht wieder mit.

Wie du ja festgestellt hast, habe ich mich jahrzehntelang erfolgreich gegen die Invasion von Mädchenkram gewehrt. Ich weiß, dass ihr glaubt, nicht ohne Duftkerzen leben zu können. Aber glaube mir: Es geht! Warum nur muss bei euch immer alles nach Vanille riechen? Und wie hast du es geschafft, in

deiner Wohnung jemals
eine Zeile zu lesen?
Gemütlich ist ja schön
und gut, aber man möchte
doch auch was sehen
können. Im Badezimmer
hingegen wäre ich dank-
bar für etwas dezentere
Beleuchtung. Und dieser
Vergrößerungsspiegel!
Kein Wunder, dass Frauen

ständig was an ihrem Aussehen rumzumeckern haben
und Unsummen für Faltencremes ausgeben. Ihr schaut
einfach viel zu genau hin.

Und wie hast du
schlafen können mit
diesem Tier auf dem
Kopfteil deines Bet-
tes? Ich nehme an,
es handelt sich um
Headbanger. Bei der
geringsten Bewe-
gung fällt das Ding
runter, gerne auf
den darunter Schla-
fenden, in diesem

Fall also mich. Aber egal, jetzt ist das lästige
Tier ja auf dem Weg nach Berlin und kann von mir
aus mein Bett verschandeln.

Das mit den Pizzen tut mir Leid. Ich hatte wirklich
ganz vergessen, dass ich überhaupt ein Tiefkühlfach
habe.
Deine Wohnung ist übrigens so gut wie unverändert,
denn ich will mich hier nicht zu Hause fühlen. Und
das gelingt ganz gut.

Gruß
Andreas

Es ist vier Uhr nachmittags, und draußen wird es langsam
dunkel. Ich liebe die grauen Monate von November bis März,
denn je früher es dunkel wird, desto eher kann man es sich
gemütlich machen.

Schrecklich, diese langen Sommerabende, an denen man
bis um zehn vor sich selbst rechtfertigen muss, warum man
nicht noch eine Runde joggen geht. Ich habe dann permanent
ein schlechtes Gewissen, weil ich es nie schaffe, so aktiv zu
sein, wie es die Jahreszeit von mir erwartet.

Ich bin ein Wintertyp. Allerdings, wie erwähnt, kein
Schneetyp. Eine Ausnahme ist der Kunstschnee, den ich vergangenes Jahr auf meine Weihnachtsbaumkugeln gesprüht
habe. Mit dem komme ich emotional sehr gut zurecht.

Ich blühe nicht im Sonnenschein auf, sondern unter di-
cken Decken. Das Schönste am Winter ist, dass der Sommer
endlich vorbei ist. Man kann den Sekt wieder auf dem Balkon
kühlen. Man muss nicht länger braun und dünn sein. Kann
das Sofa mit Heizkissen pflastern und ab vier Uhr nachmittags Filme schauen, die, bei Sonnenlicht betrachtet, niemals
in die engere Wahl kämen.

Niemand zwingt einen im Winter zu ausufernden Spaziergängen, und wenn doch, tritt man Gott sei Dank bloß in gefrorene Hundekacke. Ich könnte den ganzen Tag damit verbringen, mich zu freuen, dass schlechtes Wetter ist, und Holzscheite im Kamin nachzulegen. Leider habe ich keinen Kamin, und es gibt auch keinen jungen Landadeligen, der auf dem Weg zu mir ist.

Stattdessen verteile ich Teelichte auf Unterteller und habe einen Mittvierziger als Geliebten, der den heiligen Sonntag bei seiner Familie verbringt.

Bislang haben wir kein Wort gesprochen über Frau, Kind und Kiel. Wir tun einfach so, als gäbe es diesen Teil seines Lebens nicht. Ich frage nichts, er erzählt nichts. An den Wochenenden verschwindet er wie auf einen anderen Planeten.

Es ist wohl so, dass Affären nur so lange bequem funktionieren, wie der Betrug unausgesprochen bleibt und die Betrogenen keinen Namen und kein Gesicht haben.

«Du willst, dass er sich mit dir wohl fühlt», hatte Erdal gesagt, «also darfst du ihn nicht daran erinnern, dass er gerade seine Frau betrügt. Sage nie ihren Namen, erwähne nie sein Kind. Eine Affäre ist eine einsame Insel, auf der nur zwei Leute Platz haben: du und er.»

Seltsam, dass Erdal sich noch nicht gemeldet hat. Ich bin neugierig, wie sein Wiedersehen mit Karsten war. Wahrscheinlich ist wieder alles im Lot, und die beiden verbringen ein glückseliges Wochenende.

Ich checke mein Handy. Dreizehn verpasste Anrufe und sieben Nachrichten in der Mailbox! Ich mache das häufig so, dass ich mein Handy auf stumm stelle, wenn ich mich heimlich nach einem Anruf sehne, von dem ich ganz genau weiß, dass er nicht kommen wird. Ich finde, wenn man das Telefon nicht hören kann, kann man sich wenigstens einbilden, es würde klingeln. Das ist unlogisch? Ich habe eben einen ausgesprochenen Hang zur Hoffnung. Hoffen ist mein Hobby.

Noch ehe ich eine der Nachrichten abhören kann, klingelt es an meiner Tür.

«ICH HASSE ES, PÜNKTLICH ZU SEIN!»

«Der Andere ist eine Frau!»

«Was?»

«Er hat sich in eine Frau verliebt!»

«Komm erst mal rein.»

«Ich habe hunderttausend Mal aus dem Zug bei dir angerufen.»

«Du bist mit dem Zug gekommen?»

«Ja, warum?»

«So, wie du aussiehst?»

Erdal schaut an sich runter.

«Es war eine Kostümparty mit dem Motto ‹Mega-Movies›.»

«Und wen stellst du dar?»

«Bobbie. Das zweite Ich in der Schlussszene.»

«Bobby Ewing?»

«Quatsch! Bobby, der schizophrene Psychiater aus ‹Dressed to kill›.»

Erdal trägt einen weißen Krankenschwesternkittel, aus dessen Brusttasche ein blutverschmiertes Skalpell hervorlugt, dazu blickdichte fleischfarbene Strumpfhosen und weiße Turnschuhe. Seinen Kopf ziert ein Schwesternhäubchen.

«Und so wolltest du Karsten zurückerobern?»

«Die Party war schließlich kein Schönheitswettbewerb. Es

waren Kreativität und cineastische Kenntnisse gefragt. Du hättest mal den Gastgeber sehen sollen. Der kam als ET.»

«Und Karsten?»

«Der hat einfach seine Polizeiuniform angezogen, einen Schlagstock umgeschnallt und behauptet, er sei Sylvester Stallone in ‹Copland›. Der Mann hat einfach keine Phantasie. Sah aber leider super aus.»

«Möchtest du Tee?»

«Nein. Alkohol. Und drei Bounty, bitte. Das beruhigt die Nerven.»

Viele Leute ziehen bei Kostümfesten das an, was sie auch sonst gerne mal tragen würden, sich aber nicht trauen. Männer tragen meistens Waffen, Frauen Strapse.

Keiner meiner Freunde hat sich jemals kostümiert. Das finde ich auch gut so, denn Männer büßen bei so was augenblicklich ihre Männlichkeit ein.

Es gibt keine männlichen Männerkostüme, außer jemand

braucht sich bloß das Hemd auszuziehen, um als «Rocky» durchzugehen.

Erdal schiebt sich das zweite Bounty in den Mund. Gott sei Dank hat er das Schwesternhäubchen abgenommen.

«Zunächst hat Karsten sich gefreut, mich zu sehen. Wir umarmten uns, und er fragte, wie es mir gehe. Natürlich wollte ich nicht gleich nach seiner neuen Flamme fragen.»

«Ist dir das gelungen?»

«Nein.»

Erdals Augen füllen sich mit Tränen, und seine Wimperntusche zerläuft.

«Du bist übrigens wirklich toll geschminkt», versuche ich ihn aufzuheitern.

«Dafür musst du Maurice loben.»

«Maurice?»

«Ein Exfreund von mir, der Stylist ist.»

«Trink noch was und erzähl mir den Abend von Anfang an.»

«Ach, ich weiß nicht, Linda, jetzt, wo du gerade so verliebt bist, will ich dich eigentlich nicht mit meinem Unglück belasten.»

Erdal schaut leidend Richtung Küchenfenster. Ich kenne diesen Blick. Jetzt kommt seine Märtyrernummer: Lass mich liegen, es ist nur eine Fleischwunde!

«Wie du willst, Erdal, dann eben nicht.»

«Na gut. Wenn es unbedingt sein muss. Ich hatte natürlich darauf geachtet, zwei Stunden zu spät zur Party zu erscheinen. Ich hasse es, pünktlich zu sein, denn wer pünktlich ist, bekommt keine Aufmerksamkeit. Gefeiert wurde der dreißigste Geburtstag von Marco, einem wirklich sehr engen

Freund von mir, der mich vor ein paar Jahren in die Geheimnisse von Sado-Maso-Sex einführen wollte. Eine absolute Pleite, wie du dir denken kannst. Mir wird ja schon blümerant vor Schmerz, wenn ich mir die Nasenhaare zupfe. Und Sado ist auch nicht mein Ding. Ich neige nicht zu Gewalttätigkeit. Ich hab's gern harmonisch.

Wo war ich? Ach ja, beim Reinkommen sah ich Karsten sofort. Wir schauten uns vertraut an, und ich war mir in dem Moment ganz sicher, dass alles wieder gut werden würde. Wir haben uns dann noch eine Stunde umkreist, bevor wir – ganz behutsam – miteinander sprachen. Nach zwanzig bis dreißig Sekunden musste ich ihn natürlich direkt fragen, ob das Arschloch auch da sei, wegen dem ich in einer Woche drei Kilo zugenommen und anderthalb Pümpchen Asthma-Spray verbraucht hatte. Und was tut Karsten? Gar nichts. Er schweigt und starrt vor sich hin. ‹Wer ist der Typ?›, frage ich. ‹Kenne ich ihn? Bist du verliebt und hast mit ihm geschlafen?›

Karsten antwortet ruhig und langsam, als hätte er es mit einem Schwachsinnigen zu tun: ‹Nein. Raste jetzt bitte nicht aus, aber der Typ ist eine Frau.›

Hat man so was schon gehört? Der liebe Erdal soll sich gefälligst gesittet benehmen, auch wenn sein Freund so mal eben nebenbei die Seiten gewechselt hat? Eine Frau, Linda! Das ist so entwürdigend, so niederträchtig, so, so: ekelhaft! Allein bei der Vorstellung, wie mein Karsten mit einer Frau … also da kommt mir alles hoch! Nein, unterbrich mich jetzt bitte nicht, Linda. Es ist ja nicht persönlich gemeint, aber ihr Frauen seid, jetzt nur vom Geschlechtsorgan her betrachtet, einfach so unheimlich. Ich hätte immer Angst, da unten nicht lebend wieder rauszukommen. Mal ganz abgesehen davon, dass ich mir nicht vorstellen kann, wie ihr euch da richtig sauber halten wollt. Und du weißt, Linda, was den Aspekt Hygiene angeht, bin ich äußerst penibel.

Okay, wo war ich? Ach ja. Was mache ich also: Raste ich aus? Drehe ich durch? Mache ich eine filmtaugliche Szene? Natürlich! Was denn sonst? Ich habe eine große Schüssel Büsumer Krabbensalat über Karsten ausgeleert und ihn mehrfach gegen beide Schienbeine getreten. Als er etwas sagen wollte, habe ich die Party wortlos verlassen.

Ich sage immer: Man muss so kommen und so gehen, dass es jeder mitkriegt. Ich weiß jetzt übrigens, wie ich es Karsten mit gleicher Münze heimzahlen kann, auch wenn das von mir große Opferbereitschaft und höchste Überwindung erfordert. Ich sage nur: Auge um Auge, Zahn um Zahn!»

«Was schwebt dir vor?»

«Linda, findest du mich eigentlich attraktiv?»

«POSTKOITALE NACH-LÄSSIGKEIT»

«Sauerbraten.»

«Wie bitte?»

«Hab ich auch schon lange nicht mehr gegessen.»

«Ach, tatsächlich?»

«Am liebsten würde ich ihn mit Klößen essen. Oder doch lieber mit Rösti? Was meinst du?»

«Darf ich mich kurz von meinem letzten Orgasmus erholen, bevor ich dazu Stellung nehme?»

Ich finde es immer wieder erstaunlich, wie schnell der männliche Höhepunkt in Vergessenheit gerät und so zu einem weiblichen Tiefpunkt wird.

Eine gewisse postkoitale Nachlässigkeit habe ich bisher eigentlich bei allen Männern beobachtet, aber Johann Berger ist ein absoluter Meister darin, einen vergessen zu lassen, dass man eben noch Sex mit ihm gehabt hat.

Diesmal lagen zwischen seinen Äußerungen «Ich komme!» und «Sauerbraten!» gefühlte zehn Sekunden.

Die Minuten danach: ein Punkt mehr, an dem Männer und Frauen nicht wirklich harmonieren.

Während du noch wohlige Nachbeben genießt, hirnverbrannte Liebeserklärungen formulierst und bereit wärst, seinen Antrag anzunehmen, wenn er dir jetzt einen machen würde, überlegt er, ob er seine Umsatzsteuer bereits überwiesen hat. Wenn du Glück hast. Wenn du Pech hast, schläft er schon.

In den schauderhaften Liebesromanen, die ich übersetze, ist das natürlich ganz anders. Da liegen die Paare verschwitzt und eng umschlungen noch Stunden beieinander. Er streichelt und massiert sie hingebungsvoll, ohne dabei auch nur einmal kurz auf die Uhr zu blicken. Völlig unrealistisch, wenn man mich fragt.

Aber zum Glück hat es die Natur so eingerichtet, dass Frauen postkoital bereit sind, alles zu verzeihen – sogar prosaische Themen wie Sauerbraten mit Klößen. Zumal ich zugeben muss, dass ich nicht ganz unschuldig war.

Um mich möglichst konträr zur Rohkost und den wollenen Unterhosen seiner genussfeindlichen Ehefrau zu positionieren, hatte ich Johann Berger an diesem Abend mit semidurchsichtiger Unterwäsche und selbst gemachten Rouladen überrascht.

Ich weiß ja nicht, wie andere das machen, aber mir ist unklar, wie man neben dem Verliebtsein noch einer geregelten Tätigkeit nachgehen soll. Abgesehen davon, dass du ständig von vergangenen und zukünftigen sexuellen Begegnungen phantasieren musst und deshalb zu Unzeiten wollüstige Seufzer ausstößt, hast du ja auch ansonsten rund um die Uhr mit deiner Gefühlspflege zu tun – selbst wenn du keinen schwulen Freund hast, der unbedingt mit dir schlafen will, um es seinem Freund heimzuzahlen.

Es hatte mich Stunden gekostet, Erdal von seinem hanebüchenen Plan abzubringen. «Rache ist die feige Form der Trauer», hatte ich immer wieder Silkes Oma zitiert.

Als Erdal zu einem zweitägigen Seminar «Asian Fingerfood» musste, konnte ich mich endlich wieder ganz auf meinen neuen Fulltimejob als Geliebte konzentrieren. Nichts ist nämlich zeitaufwendiger, als eine romantische Verabredung vorzubereiten, die so wirkt, als geschehe alles vollkommen unvorbereitet. Es ist der Wahnsinn, wie viele Liebhaber bis heute glauben, die Dinge liefen ja wie von selbst. Romanzen sind nur so lange romantisch, wie Frauen dafür sorgen, dass sie es sind.

Die Vorbereitungen auf diesen Abend zum Beispiel hatten mich Tage gekostet. Zunächst musste ein geeignetes Rouladenrezept gefunden werden, ein schöner Anlass, endlich mal wieder meine Oma in Düren anzurufen. Dann grübelte ich über die passenden Beilagen, bis ich mich schließlich mit Silke auf ein mit einem Hauch von Meerrettich verfeinertes Kartoffel-Wirsing-Püree verständigte.

Wichtig ist, dass du an einem Abend, der mit Sex enden soll, nicht zu viel kochst. Es ist nämlich nicht schön, wenn zwei behäbige, kurzatmige, vollkommen überfressene Menschen versuchen, einen leidenschaftlichen Sexualakt hinzulegen. Ich musste mich also bei der Portionierung gehörig zusammennehmen.

Steht der Essensplan, muss die Garderobe bestimmt werden. Und das ist besonders schwierig, wenn du ihn zu dir nach Hause einlädst. Experten raten zu «casual sexy». Das heißt, du sollst verführerisch aussehen, ohne overdressed zu sein, elegant, ohne die Unterstützung von High Heels und Schmuck. Du sollst dramatisch-schöne Augen haben – ohne ein dramatisches Augen-Make-up. Du sollst bezaubernd aussehen und trotzdem irgendwie so, als hättest du dir erst kurz bevor er geklingelt hat, irgendwas übergeworfen.

Eine gut sitzende Jeans ist hier niemals verkehrt, allerdings nicht so gut sitzend, dass man sie sich nicht relativ elegant ausziehen lassen könnte. Es ist unangenehm, wenn der erste Ansturm seiner Begierde an einer Hose scheitert, in der deine Beine so hartnäckig festsitzen wie die Mortadella in der Pelle.

Und dann noch die Frage der Musik. Solange du seinen Geschmack noch nicht kennst, empfiehlt sich massentauglicher Soul. Interpreten wie R. Kelly, Joss Stone oder Alicia Keys ge-

hen für den Anfang eigentlich immer und passen auch zu fast jeder Art von Sex.

Auf keinen Fall darfst du die Songs deines MP3-Players einfach so durchlaufen lassen. Irgendwelche hochgradig störenden oder verstörenden Titel sind bestimmt dabei. Meine Freundin Christiane zum Beispiel hatte ihrer Nichte zum fünften Geburtstag eine CD gebrannt und dazu einige einschlägige Kinder-Hits auf ihren iPod geladen. Christiane sagt, sie hätte in ihrem Sexualleben keinen beschämenderen Moment erlebt, als sich ein paar Tage später ihr Liebhaber wollüstig auf sie warf, ihr versautes Zeug ins Ohr raunte und plötzlich unterbrochen wurde durch das Lied «Schni Schna Schnappi, das kleine Krokodil».

Entzückt betrachte ich den Mann neben mir. Ich finde, im Schein der Lichterketten, die ich endlich über dem Bett angebracht habe, kommt seine natürliche Anmut noch viel besser zur Geltung.

Johann Berger hat blaue Augen, die größer werden, wenn er von etwas spricht, das ihm gefällt. Mein Lachen zum Beispiel. Meine Ohren, seltsamerweise. Meine Rouladen. Meine neue Unterwäsche hat er leider nicht kommentiert, dabei war die nicht ganz billig und auch überhaupt nicht bequem.

Heute war unsere sechste Verabredung, und ich hatte definitiv alles bereits zweimal getragen, was an Wäsche einigermaßen vorzeigbar war. Also hatte ich mir ein nachtblaues Ensemble mit Spitze gekauft. Aber ich gewinne im Laufe meines Lebens immer mehr den Eindruck, dass Frauen viel mehr von ihrer schönen Wäsche beeindruckt sind als die Männer, die sie damit beeindrucken wollen.

Johann Berger und ich haben tatsächlich schon kleine Routinen entwickelt. Einmal Sex vor dem Essen, einmal danach. Er bringt immer den Wein mit, manchmal auch Blumen. Er bleibt nie bis zum Frühstück, und ich bitte ihn nicht darum.

Gegen elf zieht er sich meist kurz in die Küche zurück, um fünf Minuten mit seiner Frau zu telefonieren. Ich rauche in der Zeit eine Zigarette, mache die Musik und mein Handy aus, um verräterische Geräusche zu vermeiden. Er hat mich nicht darum bitten müssen. Ich bin offensichtlich ein Naturtalent in Sachen Affärenvertuschung. Auch nicht gerade eine Begabung, auf die man mordsmäßig stolz sein kann.

Wenn er von seinem Telefonat zurückkommt, nimmt er mich etwas linkisch in den Arm, ohne mir dabei in die Augen zu schauen – als wolle er sich dafür bedanken, dass ich brav so tue, als sei nix. Als angenehme Geliebte musst du nämlich eine Spitzenkraft sein im So-tun, als sei nix. Mindestens die Hälfte deiner Gefühle darfst du dir nicht anmerken lassen.

Alles ist tabu, was auch nur ansatzweise mit Eifersucht, Besitzanspruch oder Urlaubsplanung zu tun hat. Du darfst ihn nicht einengen, nicht unter Druck setzen. Er soll gern zu dir kommen, weil er weiß, dass du weder nörgelst, wenn er zu spät kommt, noch, wenn er früher als erwartet wieder geht. Er soll gern anzügliche SMS von dir bekommen, weil er weiß, dass du ihm keine Vorwürfe machst, wenn er tagelang nicht dazu kommt, sie zu beantworten.

Vorwürfe sind überhaupt das Allerschlimmste. Eine Geliebte, die einen Vorwurf macht, ist auf dem besten Wege, eine Exgeliebte zu werden. Oder eine Ehefrau.

Ich gehe in meiner Zurückhaltung so weit, dass ich Johann Berger niemals anrufe. Allerdings hatte ich auch schnell festgestellt, dass er sowieso fast nie erreichbar ist.

Will er mich sehen, tue ich an mindestens zwei Abenden der Woche so, als hätte ich bereits etwas vor. Ich will das Bild einer unabhängigen Frau mit knappem Zeitbudget vermitteln, bei der er keine Sorge haben muss, dass sich ihr Leben bald nur noch um ihn dreht.

Für mich wird diese Affäre immer mehr zu einer Höchstleistung in Selbstdisziplin, und ich frage mich, wie er bei meiner zur Schau gestellten Unverbindlichkeit jemals auf die Idee kommen soll, dass ich Verbindlichkeit will und beim Einschlafen darüber nachdenke, wer meine Trauzeugen sein könnten. Erdal scheint mir ein unsicherer Kandidat zu sein, einmal wegen seines unterirdischen Kleidergeschmacks, zum anderen reagiert er auf Anlässe, bei denen er nicht die Hauptperson ist, gerne mal asthmatisch.

Wenn ich für Johann Berger die perfekte Geliebte bin: Wieso sollte er an diesem Zustand jemals etwas ändern wollen? Wenn ich ständig so tue, als wolle ich nicht mehr: Warum sollte er mir dann mehr geben?

```
Von: Andreas Szabo
Betreff: Re: Hilfe, ich bin so unverbindlich!
Datum: 18. November 14:16:57 MESZ
An: Schumannli@aol.com
```

Hallo, Linda!
Ich habe gerade wenig Zeit, und du kennst meinen Standpunkt bereits. Es gibt nur ein mögliches Happy End für deine Affäre: Beende sie sofort! Abgesehen davon ist es tendenziell richtig, Männern nicht auf die Nerven zu gehen – denn das sind sie nicht gewohnt. Wenn du das noch eine Weile durchhältst, wird er fälschlicherweise annehmen, du gehörst zu den fünf Prozent unkomplizierter Frauen. Und so eine will man auf keinen Fall verlieren. Du wirst dich also noch weiter verstellen müssen.
Aber beschwer dich nicht bei mir, wenn er dich in ein paar Jahren mit einer Frau betrügt, die auch so tut, als sei sie total unkompliziert.

Gruß
Andreas

Ich rauche und höre Johann Berger zu. Er schimpft über einen Kollegen, den er für eine komplette Niete hält. Er fragt, ob er sich für die Firmenwohnung einen neuen Teppich kaufen soll. Er erzählt von seinem ehrgeizigen Vater, der vor zehn Jahren gestorben ist, ohne die Karriere des Sohnes miterlebt zu haben.

Er redet. Ich höre zu.

So kenne ich mich gar nicht. Bin ich durch seinen Einfluss vielleicht zu einer der fünf Prozent unkomplizierten Frauen mutiert?

Ich gefalle mir gut in der Rolle der schweigsamen, hin und wieder nickenden und Geborgenheit ausstrahlenden Partnerin. Bisher war noch nie jemand auf die Idee gekommen, bei mir Geborgenheit und Ruhe zu suchen. Mich selbst eingeschlossen.

«Wer schlafen will, sollte sich nicht neben Linda legen», hatte Draco immer gesagt. Tatsächlich war es bislang so, dass mich ausgerechnet immer dann ein unaufhaltsamer Mitteilungsdrang überkommt, wenn jemand neben mir dringend ein Nickerchen machen will. Für mich ist es eben wichtig, das sofort zu besprechen, was mich gerade bedrückt. Und mich bedrücken ja rund um die Uhr alle möglichen Sachen.

Aber neben Johann Berger komme ich kaum zu Wort. Wahrscheinlich ist das bei Führungskräften so. Die müssen den ganzen Tag entscheiden, Angestellte zusammenscheißen, und keiner ist mal nett zu denen, nimmt sie mal in den Arm, sagt ihnen, wie toll sie sind und wie schön sie wieder Arbeitsplätze eingespart haben. Kein Wunder, dass solche Menschen sich abends ihren Tag von der Seele reden müssen und einen Schoß brauchen, in den sie ihr müdes Haupt betten können.

Ich komme mir vor wie ein menschliches Kaminfeuer und

nicht – wie sonst meist – wie ein Flutlichtmast mit Wackelkontakt.

Erstaunlich, was so alles in einem steckt, denke ich, kuschele mich an meine Führungskraft und bin begeistert, was für eine hervorragende Zuhörerin aus mir geworden ist. Manchmal höre ich allerdings auch nicht zu, sondern mache nur bestätigende Geräusche. Das reicht ihm vollkommen.

Während Johann Berger über einen stillen Teilhaber seiner Firma spricht, der nicht so still ist, wie er es gerne hätte, versuche ich unauffällig, meinen Bizeps anzuspannen. Ob sich das Training schon bemerkbar macht? Der Mann neben mir hat nichts gesagt, aber das will nicht unbedingt etwas heißen. Diese Entscheider haben ja so viel Wichtigeres im Kopf.

«EIN MUSKEL DULDET KEIN FETT IN SEINER NÄHE!»

Erdal hatte gesagt, dass es in meinem Alter keinesfalls mehr reichen würde, bloß zu joggen.

«Muskelaufbau heißt das Zauberwort. Durch Ausdauertraining nimmst du zwar ab, aber gleichzeitig wird dein Körper schlaff und faltig, und dein Hintern schlappt bis zu den Kniekehlen. Mein P.T. kann dir das bestätigen.»

«Dein wer?»

«Mein Personal Trainer.»

«Sei jetzt bitte nicht gleich gekränkt, Erdal, aber so wie du aussiehst, wäre ich nie darauf gekommen, dass du einen Personal Trainer hast.»

«Wir sind noch beim theoretischen Teil.»

Zwei Tage später besuchte ich den Kurs «Body Pump» in der «Fitness Company». Die Losung «Ein Muskel duldet kein Fett in seiner Nähe!» hatte mich nachhaltig motiviert. Ich wollte natürlich so straff wie möglich sein, jetzt, wo ich einen zwölf Jahre älteren Geliebten hatte.

Ich fürchte, ich habe in der «Fitness Company» keinen besonders guten Eindruck hinterlassen. Im Kursraum hatte ich mir selbstverständlich einen unauffälligen Platz in der hintersten Reihe gesucht, denn anders als Erdal genieße ich es nicht, wenn mich alle anstarren. Schon gar nicht, wenn ich in Sportbekleidung stecke, die zwar atmungsaktiv ist, aber deutlich nach Altkleidersammlung aussieht.

Ich orientierte mich an den anderen Teilnehmern und holte mir im Geräteraum eine Stange, diverse Gewichte und zwei Klemmen, die das Ganze zusammenhalten sollten.

Da ich nachweislich Probleme habe, Dinge zusammenzubauen, stand ich vor einer nahezu unlösbaren Aufgabe. Üblicherweise scheitere ich bereits am Falten eines Umzugskartons, und ich mag gar nicht daran denken, wie viel Lebenszeit ich schon vergebens in Selbstbaumöbel investiert habe.

«Du bist neu hier, oder?», schallte eine Stimme aus den Lautsprechern.

Ich zog automatisch den Kopf ein, aber es half nicht, ich war leider gemeint. Ohne hochzuschauen, nickte ich, und mir wurde unangenehm warm, obschon ich noch kein einziges Kilo gestemmt hatte.

«Okay, ich bin der Nico. Wie heißt du?»

«Linda», hauchte ich, mein rot anlaufendes Gesicht weiterhin Richtung Boden gerichtet. Würde doch eine Erdspalte mich zuvorkommend verschlucken! Schade, dass man in unseren gemäßigten Breitengraden nicht auf die Unterstützung von Naturkatastrophen bauen kann.

Ich hasse es, wenn ich rot werde, und noch mehr hasse ich es, wenn mir eine genervte «Body Pump»-Gruppe dabei zuschaut. Ich werde nämlich nicht auf diese anrührende, mädchenhafte Weise rot, wo sich die Wangen lieblich verfärben, alle entzückt sind und an eine Jane-Austen-Verfilmung mit schüchternen jungen Damen in weißen Kleidern denken.

Nein, mein komplettes Gesicht wird innerhalb von Millisekunden bluthochdruckrot, und ich sehe aus wie ein medizinischer Notfall.

«Komm doch bitte in die erste Reihe, Linda, dann kann ich deine Bewegungen besser kontrollieren.»

Mein neuer Platz hatte nicht nur den Nachteil, dass fast alle mich sehr gut sehen konnten. Erschwerend kam hinzu, dass ich mich in der Spiegelwand auf einmal selbst sehr gut sehen konnte – ein erbarmungswürdiger und demotivierender Anblick.

Ich wandte die Augen ab und sah mir den Trainer an, der mir ermutigend zulächelte. Natürlich war der Nico ein hinreißender Junge, dem anbetungswürdigen Matthew McConnaughey nicht unähnlich und damit jemand, dem man gerne unter wesentlich anderen Umständen begegnet wäre. Wer derart definierte Oberarmmuskeln hat, dachte ich, ist definitiv ein Abenteuer wert.

Nach ein paar Minuten fand ich, dass ich eigentlich ganz gut mitgehalten hatte. Peinlich war nur, dass Nico Sachen in sein Head Set rief wie: «Linda, du solltest weniger Gewichte nehmen, deine Pomuskeln sind nicht trainiert genug!», oder: «Linda, zieh die Hantel nur bis zur Nipple Line hoch!»

Nipple Line? Also bitte, was ist denn das für ein Ausdruck? Und als Orientierungshilfe doch auch gänzlich untauglich. Die Brustwarzenhöhe kann bei Frauen – ähnlich dem Haaransatz bei Männern – von Fall zu Fall doch sehr unterschiedlich ausfallen.

Nach der Stunde kam Nico zu mir.

«Fürs erste Mal hat das doch schon sehr gut geklappt. Wenn du Zeit hast, solltest du noch eine halbe Stunde auf den Cross Trainer gehen. Dann hast du morgen keinen Muskelkater.»

Ich wagte ein Lächeln. Was für ein hübscher Mann! Seit ich einen Geliebten hatte, erhielt mein Selbstbewusstsein gehörig Auftrieb, und ich nahm Männer mit anderen Augen wahr, nämlich als Wesen, bei denen es nicht automatisch ausgeschlossen ist, dass sie sich für mich interessieren, obwohl ich mich nicht für sie interessiere.

Die Kombination ist unschlagbar: erotische Ausstrahlung plus sexuelles Desinteresse. Damit kannst du jeden Mann haben. Du wirkst nun mal am besten, wenn du nicht wirken willst. Frisch Verliebte sind zum Verlieben. Das ist ungerecht. Aber es ist so.

Ich kletterte auf einen der Cross Trainer, stöpselte die Ohrhörer meines I-Pods ein und hielt nach Nico Ausschau. Ich kam mir außerordentlich muskulös vor und freute mich auf Songs mit motivierenden Rhythmen und eingängigen Texten mit positiver Grundstimmung. Solche Lieder singe ich auch gerne mit.

Nachdem ich mich vergewissert hatte, dass man rechts und links von mir ebenfalls Ohrstöpsel trug, schmetterte ich fröhlich die Songs meiner Playlist «Karnevalslieder».

«Mir losse der Dom in Kölle
denn da jehört er hin!
Wat soll der denn woanders?
Dat hätt' doch keenen Sinn!»

Erst als ich dreißig Minuten später vom Cross Trainer stieg, bemerkte ich, dass Nico einen Meter hinter mir trainierte – sehr zu meinem Bedauern ohne Kopfhörer.

Johanns Nadelstreifenjackett liegt auf dem Boden, meinen nachtblauen Spitzen-BH entdecke ich im Regal bei Andreas' DVD-Sammlung. Er liegt auf «Vier Fäuste für ein Hallelujah».

Ich finde, wenn man bei jemandem wohnt, dann ist das fast so, als ob man zusammenwohnt. Ich kenne Andreas' Geschmack und Eigenarten, ohne ihn jemals zu Gesicht bekommen zu haben. Er liebt Western, animierte Filme wie «Ice Age» und hat alles von Quentin Terrantino und Ang Lee. Er mahlt Kaffee selbst und hebt die silberroten Illy-Dosen auf. Mehr als zwanzig stehen in der Küche rum, alle leer. Warum?

«Man weiß nie, wofür man diese Dosen nochmal brauchen kann», hatte er mir geschrieben, und ich war dankbar für diesen entzückenden Hauch Irrationalität, der sich da auf einmal in seinem Charakter zeigte.

Ansonsten hatte ich nämlich den unheimlichen Eindruck gewonnen, dass Andreas immer alles richtig macht. Er lenkt sich von seinem Kummer durch Sport und Arbeit ab, nicht durch Sex und erhöhte Kalorienzufuhr. Er schickt keine hirnverbrannten SMS an seine Exfreundin und fängt kein Verhältnis mit einer verheirateten Frau an.

Kein Wunder, dass er mich ständig ermahnt und maßregelt. Er muss mich für moralisch schwächlich und emotional infantil halten – womit er, in Teilen, Recht hat.

Aber ehrlich gesagt, nur weil einer immer Recht hat, heißt das noch lange nicht, dass es auch stimmt, was er sagt. Und wer sich wie Andreas immer absolut korrekt verhält, ist auf gewisse Weise ja auch irgendwie asozial. Ich frage mich, wie es seine Freunde überhaupt aushalten mit dieser Mensch gewordenen Biotonne. Ich habe schon automatisch ein schlechtes Gewissen, wenn ich nur an Andreas denke. Dabei kenne ich ihn doch eigentlich gar nicht. Ein fragwürdiger Charakter wie ich macht ja immer irgendwas falsch, und es ist fast am schlimmsten, wenn mir dann einer wie Andreas jesushaft vergibt.

Das ist wie essen bei McDonald's in Begleitung einer Er- nährungsberaterin; wie ordentlich Gas geben, wenn der Fahrlehrer mit im Auto sitzt, oder wie sonnenbaden neben Germany's next Topmodel.

Erst neulich hatte mir Andreas wieder eine hartherzige Mail geschrieben, in der er mehrfach an meinen Verstand ap- pellierte, erneut darauf hinwies, dass mit Vernunft auch Welt- kriege verhindert würden und dass man nicht zwingend mit jedem Mann schlafen müsse, der sich für einen interessiere. Ich sei durchaus in einem Alter, wo man anfangen könnte, seine Probleme zu lösen, statt sie zu verhätscheln wie eine Spätgebärende ihr Einzelkind.

Ferner stünde es mir ebenfalls gut zu Gesicht, konzen- trierter und analytischer vorzugehen, bei nahezu allem, was ich tue. Es sei doch nicht einzusehen, warum ich meinen Ver- stand nur zu besonderen und seltenen Anlässen benutzen würde, so wie Silberbesteck oder einen empfindlichen Old- timer. Ich würde ja wohl bei Stehempfängen auch nicht wahl- los nach jedem Häppchen greifen, das an mir vorbeigereicht wird, oder daheim in mein eigenes Badewasser pinkeln.

```
...................................................................
Von: Linda Schumann
...................................................................
Betreff: Jesus lebt!
...................................................................
Datum: 03. Dezember 18:55:72 MESZ
...................................................................
An: Aszabo@aol.com
...................................................................
```

Lieber Andreas!
Du kannst einem ja wirklich ganz schön auf den Sen- kel gehen mit deinem ewigen Genörgel.
In mein eigenes Badewasser pinkle ich nicht mehr,

obwohl ich zugeben muss, dass ich erst ziemlich
spät damit aufgehört habe. Aber ich schnappe tatsächlich nach jedem Häppchen, das an mir vorbei-
kommt, und esse auch die Bienenstich-Probierstück-
chen, die bei Karstadt auf der Kuchentheke stehen.
Und zwar alle!
Ich verfüge weder über eine natürliche Essbremse
noch über eine natürliche Gefühlsbremse.
Du hingegen scheinst einen implantierten Tempo-
maten zu haben, der dich von jeglicher Emotions-
übertretung abhält. Aber denk doch mal an den Stra-
ßenverkehr: Wenn du dich an jede Regel hältst, bist
du ein kolossales Verkehrshindernis. Gut, man muss
nicht gleich mit achtzig Sachen durch Fußgängerzo-
nen brettern, aber bei Spätorange über die Kreuzung
muss schon mal drin sein.
Mein lieber Andreas, wärst du eine Farbe, dann ge-
brochenes Weiß, wärst du eine Glühbirne, dann vierzig Watt matt, und wärst du ein Gemüse, dann eine
halbfest kochende Kartoffel.
Ich weiß, du machst deine Fehler nie sehenden Auges
und nie zweimal. Aber lass mich doch noch einmal
wissend in mein Verderben stürzen.
Versprichst du mir, dass du mich dann trotzdem
tröstest? Ich verspreche dir auch, dann zuzugeben,
dass du von Anfang an Recht hattest.

Sei herzlich gegrüßt von deiner Linda
(Sorte: viel zu weich kochend!)

Von: Andreas Szabo

Betreff: Re: Jesus lebt!

Datum: 4. Dezember 11:36:07 MESZ

An: Schumannli@aol.com

Liebe Linda,

du bist emotional verfressen. Ich nicht. Ich würde
keine Beziehung anfangen, von der ich weiß, dass
sie zum Scheitern verurteilt ist.

Es müssten schon ziemlich viele Koordinaten stimmen, damit ich mich von meinem Single-Dasein tren-
ne.

Wenn ich vorm Einschlafen einen schwachen Moment
habe und jemanden neben mir vermisse, tröste ich
mich sehr wirkungsvoll mit dem Gedanken, dass diese Person vermutlich gerade Unterleibsbeschwerden
hätte oder kalte Füße oder Ärger im Büro. Und dann
würde ich wieder eine schlaflose Nacht verbringen
mit der Diskussion von Problemen, die nicht meine
eigenen sind.

Es muss schon viel zusammenkommen, damit ich mir
diesen ganzen Stress wieder antue. Es ist so wahnsinnig mühsam, einander kennen zu lernen und sich
zu erklären mit all den Angewohnheiten und Aver-
sionen, die man so hat.

Ich kann nicht einschlafen mit einem Paar tiefge-
frorener Fremdfüße zwischen meinen Schenkeln. Und
nein, ich will nicht am Flughafen abgeholt werden,
schon gar nicht mit lautem Gekreische und einem
Zungenkuss. Ich will auch nicht «Purzelbäckchen»
genannt werden und mich nicht rechtfertigen müssen,

dass ein Fußballspiel wichtiger sein kann als ein
Jahrestag.
Die Vermittlung solcher Botschaften dauert in Part-
nerschaften leider oft Jahre. Und wenn dann endlich
Ruhe eingekehrt ist, heißt es plötzlich: Aus un-
serer Beziehung ist irgendwie die Luft raus.
Partnerschaft ist mühsame Arbeit - auch ohne dass
einer der beiden Beteiligten bereits vergeben ist.
Natürlich werde ich dich trösten, wenn du die
Sache gegen die Wand gefahren hast. Dazu sind wir
halbfest kochenden Kartoffeln ja da.

Viele Grüße
Andreas

Johann Berger, meine ganz persönliche, kleine Verkehrssün-
de, redet immer noch. Ich erfahre gerade, wie wichtig Sport
für die mentale Balance ist und dass er jeden Sonntag bei sich
zu Hause durch den Wald joggt.

Bei sich zu Hause. Bäh!

Ich finde, ich war lange genug zurückhaltend. Wir kennen
uns schon vier Wochen, und ich habe ihn noch nie gebeten,
zwei, drei Tage mit mir wegzufahren oder wenigstens mal
zum Frühstück zu bleiben. Ich sage ihm nicht, dass ich in ihn
verliebt bin, und frage nicht, ob er seine Frau noch liebt.

Vorbildlich.

Jetzt muss aber mal was passieren. Ich werde ihn fragen.
Sofort. Nach Rouladen und Sex ist der Zeitpunkt günstig.

«Wollen wir nächste Woche zusammen ins Kino gehen?»

Johann Bergers Monolog bricht abrupt ab. Er schaut mich

so überrascht an, als läge nicht ich neben ihm im Bett, sondern ein Diktaphon, das ihn gerade um ein Wiedersehen gebeten hat.

«Schade, Linda, aber das geht leider nicht. Ich bin nächste Woche erst in Frankfurt, dann in Hamburg, um Neukunden zu akquirieren.»

Immerhin sieht er aufrichtig zerknirscht aus.

«Ich bin nächste Woche auch in Hamburg, weil ich Erdal versprochen habe, ihm bei der Veranstaltung zu helfen. Vielleicht können wir uns treffen?»

«Das ist leider ganz schlecht. Ich reise nicht allein und habe gesellschaftliche Verpflichtungen, verstehst du? Ich werde aber zwischen Weihnachten und Silvester drei Tage in Berlin sein. Und jetzt muss ich langsam los. Es tut mir Leid, aber mein Sohn ist krank, und ich habe meiner Frau versprochen, dass ich nochmal anrufe, bevor ich ins Bett gehe.»

Na bravo, das ist ja wirklich bombig gelaufen! Ich fühle mich, als wären sein Sohn und seine Frau gerade zu uns ins Bett gekrochen. Hätte ich doch bloß nichts gesagt. Das hat man davon, wenn man sich nicht an die Regeln hält. Wer mehr zu verlieren hat, hat eben auch das Sagen. Der Betrüger bestimmt das Tempo, nicht die Komplizin. Ich gehe kein Risiko ein. Ich kann auch niemanden verletzen. Außer mich selbst.

Während ich mich noch frage, wie ich die bevorstehende Weihnachtszeit überleben soll, höre ich mich betont locker sagen: «Alles klar, dann lass uns einfach telefonieren, wenn du wieder im Lande bist.»

Ich spüre seine Erleichterung. Er lächelt mich an, und seine Augen werden größer. Puh, das ist nochmal gut gegangen. Die Geliebte bleibt bequem. Keine weiteren Fragen. Noch nicht.

Wir fürchten beide den Tag, an dem einer von uns die Frage stellt: «Wie soll es denn mit uns weitergehen?» Unschwer zu erraten, wer von uns beiden es sein wird.

«Sobald du ihm eine Szene machst», hatte Silke gesagt, «habt ihr keine Affäre mehr, sondern eine Beziehung. Und die wird nicht lange dauern.»

Er küsst mich dankbar und sagt: «Das war wieder mal sehr schön, Kleines.»

Immerhin lässt er keine Geldscheine auf meinem Nachttisch liegen.

«Kleines» fühlt sich gerade sehr klein.

Schon wieder ein Mann, der mich «Kleines» nennt. Warum sagen Männer das? Um sich selbst größer zu fühlen oder was?

Ich habe mir angewöhnt, mein Handy mit auf die Toilette zu nehmen. Nur für den Fall. Als Geliebte eines zeitlich sehr eingespannten Mannes ist es wichtig, rund um die Uhr erreichbar zu sein.

Seit fünf Tagen habe ich nichts mehr von Johann Berger gehört. Kein Anruf, keine SMS, nichts.

«Überleg doch mal logisch», versucht Erdal mich zu beruhigen, «wenn dein Johann mit seiner Frau auf Reisen ist, kann er sich unmöglich bei dir melden.»

«Quatsch! Hat der Mann etwa keine Verdauung? Der könnte sein Handy doch genauso wie ich mit aufs Klo nehmen.»

«Das ist nicht jedermanns Sache.»

«Was weißt du denn, was jedermanns Sache ist?»

«Linda, ich verstehe deine Situation, aber lass deine Laune bitte nicht an mir aus. Und reiß dich zusammen, wenn du mir bei der Veranstaltung in Hamburg hilfst. Lieber eine

Hilfskraft zu wenig als eine mit schlechter Laune, sag ich immer. Ich schlage übrigens vor, dass du schon am Donnerstag nach Hamburg kommst. Meine Mutter ist zu Besuch, und wir haben ein tolles Nachmittagsprogramm für dich vorbereitet. Das wird dich sicher ablenken.»

«Was plant ihr?»

«Lass dich überraschen.»

«WER EINEN FESTEN FREUND HAT, BRAUCHT KEINE FESTEN OBERSCHENKEL»

Ich war vor zehn Jahren zum ersten und bis dahin letzten Mal in Hamburg. Die Stadt war genau so, wie ich sie in Erinnerung hatte. Die herrschaftlichen Villen an der Außenalster waren so weiß wie die Zähne von Denzel Washington und gaben mir das Gefühl, dass die Stadt wesentlich besser aussieht als ich.

Das lag auch daran, dass ich an Johann-freien Tagen wie heute meine Klamotten aus der Ära «Wer einen festen Freund hat, braucht keine festen Oberschenkel» auftrug.

Umso froher war ich, dass Erdal in einem augenschmerzend hässlichen Gelbklinkerbau wohnte. Im Erdgeschoss war eine Videothek, der Blick ging auf eine Aral-Tankstelle. Ich würde mich als Straße ja ärgern, wenn ich wohlklingend «Hoheluftchaussee» heiße und dann bloß eine sechsspurige Ausfallstraße bin, mit zwei Busspuren in der Mitte und etlichen Getränkemärkten rechts und links. Wie bei Donatella Versace: Ein toller Name, der höchste Erwartungen weckt, und dann sieht die Frau aus, als würde sie einen Billigpuff im Gewerbegebiet von Mühlheim an der Ruhr betreiben. Nee, da hätte ich doch lieber einen langweiligen Namen und sehe super aus – wie Claudia Schiffer und Heidi Klum. Oder ich habe einen normalen Namen und sehe auch normal aus – wie Angela Merkel und Linda Schumann.

Erdal ließ mir kaum Zeit, mich in seiner Wohnung umzuschauen. Nur ins Bad durfte ich schnell. Ich erschrak fürchterlich, als die Toilette nach Benutzung anfing, sich selbst zu desinfizieren.

«Jetzt komm schon», rief Erdal. «Wir treffen meine Mutter im evangelischen Gemeindehaus.»

«Erdi, bitte, die anderen behalten doch auch ihre Schuhe an!»

«Sei still, Mama, das hier sind rahmengenähte Budapester. Hast du eine Ahnung, was die wiegen? Das würde das Ergebnis total verfälschen.»

«Lassen Sie ihn nur», schaltete sich die Gruppenleiterin ein. «Wir hatten hier schon Leute, die sich vorher ihre dritten Zähne rausgenommen haben, um das Resultat zu schönen.»

Erdal stellte sich ohne seine Schuhe auf die Waage und flüsterte der Gruppenleiterin zu, man möge bitte sein Gewicht keinesfalls öffentlich verkünden.

Renate Küppers-Gökmen war blendender Stimmung. «Bravo!», dieselte sie, als eine Dame von der Waage stieg und verkündete, sie habe in einer Woche zwei Kilo abgenommen.

Erdal wurde zusehends übellauniger.

«Ich dachte, hier sind nur Dicke. Endlich wollte ich mir mal wieder so richtig schlank vorkommen – und jetzt so was!»

Ja, ich hatte mir ein wöchentliches Mitgliedertreffen der «Weight Watchers» auch anders vorgestellt.

Nachdem ich begriffen hatte, wo ich hier reingeraten war, machte ich mich auf neidische Blicke und missgünstiges Getuschel gefasst. Heimlich hoffte ich sogar, man würde mich des Raumes verweisen, um die Mitglieder nicht mit meiner überirdischen Schlankheit zu demotivieren. Aber die Gruppenleiterin war so freundlich zu mir, dass es an Frechheit grenzte.

Neben mir saß eine Bohnenstange – ein «Goldmitglied», wie ich erfuhr –, die ihr Wunschgewicht bereits sechs Wochen hielt.

«Ich habe in acht Monaten dreizehn Kilo abgenommen», prahlte sie, und alle klatschten begeistert. Bis auf Erdal. Der tat so, als suche er etwas in seiner Manteltasche.

Er blühte erst wieder auf, als die Neuen Gelegenheit bekamen, ihre Ziele zu formulieren. Ein Herr zwei Reihen vor uns klagte, er könne seine Zehennägel schon seit längerem nicht mehr sehen. Woraufhin die Frau neben ihm, offensichtlich seine eigene, brummte, dass er da allerdings auch nicht viel verpassen würde.

«Ich möchte fünfzehn Kilo abnehmen», gestand eine mopsige junge Dame. «Denn ich wiege jetzt wieder so viel wie kurz vor der Geburt meiner Tochter.»

«Und was wird es diesmal?», rief Erdals Mutter, die offenbar nicht richtig aufgepasst hatte.

Hinterher aßen wir zu dritt in einem Steakhaus an der Hoheluftchaussee.

«Ich finde es sehr beeindruckend, was die ‹Weight Watchers› mit ihrem Programm erreichen», sagte Erdal. «Es ist doch immer wieder erstaunlich, was man mit ein wenig Disziplin so alles bewirken kann. Mama, reichst du mir nochmal die Pommes?»

«Wie entwickelt sich denn Ihre Affäre, Linda? Erdi sagte, Sie hätten sich beim letzten Mal etwas zu weit vorgewagt.»

«Sie hat ihn gefragt, ob er nächste Woche mit ihr ins Kino geht.»

«Aber Erdi, das ist doch nun wirklich kein Skandal.»

«Doch. Er hat nein gesagt.»

«Ich hatte bei meinen Affären den Vorteil, dass ich selbst auch verheiratet war. Nur mit Erdals Vater war ich leider nicht lange genug zusammen, um ihn betrügen zu können. Es ist grundsätzlich günstiger, wenn zwei Verheiratete eine Affäre miteinander haben und beide ihre Ehen nicht gefährden wollen. Dann hat man gleich viel zu verlieren, und jeder sorgt dafür, dass die Sache nicht auffliegt.

Ein Betrug muss diskret und professionell ausgeführt werden. Ich habe zum Beispiel nie schlecht über meine Ehemänner geredet und jeden Geliebten rausgeschmissen, der sich bei mir über seine Frau ausheulen wollte. Das hat keinen Stil.»

«Aber Mama, Linda hat keine Ahnung, wie man eine Affäre professionell managt. Sie hat sich Hals über Kopf in den Kerl verliebt. Sie nimmt ihr Handy mit aufs Klo, geht mit ihrer Mülltüte spazieren, macht Muskelaufbautraining und hat Hunderte Euro in Unterwäsche investiert. Die Beweise sind eindeutig.»

«Nicht unbedingt, Erdi. Wir bilden uns gern ein, genau das haben zu wollen, was wir nicht haben können. Und manchmal ist es schwer zu unterscheiden, ob man in einen Mann verliebt ist oder in das Gefühl, verliebt zu sein. Für Letzteres bietet sich ein verheirateter Mann hervorragend an.

Der trinkt mit dir Champagner, während sich die Ehefrau um seine Wäsche kümmert. Hummer bei dir, Leberwurst zu Hause. Mit dir fährt er nach Positano, mit ihr in den Schwarzwald. Dich nennt er ‹Chérie›, zu ihr sagt er ‹Schatzi›. Zu dir kommt er in Hemden, die sie gebügelt hat.

Linda, wollen Sie wirklich diejenige sein, die seine zwanzig Paar schwarze Socken sortiert? Wollen Sie neben ihm im Bad stehen, während er sich die borstigen Haare aus den Ohren zupft? Oder noch schlimmer: sie nicht mehr zupft? Wollen Sie wirklich, dass er der Mann wird, den Sie als Nächsten betrügen werden?

Ich sage immer: Lieber Sehnsucht statt Überdruss! Erinnern Sie sich, was die ‹Weight Watchers› vorhin gepredigt haben: Glück durch Verzicht und Erfüllung durch kluge Portionierung. Der Geliebte und die Tafel Schokolade sind beide nichts für jeden Tag.»

Ich versuchte eine Zusammenfassung:

«Eine Affäre funktioniert also genau so wie eine Diät? Entweder ich darf essen, was ich will, aber nicht wann ich will. Oder ich esse, wann ich will, aber nicht, soviel ich will. Das Resultat ist in beiden Fällen dasselbe: Meistens hat man Hunger!»

«Sie haben es erfasst, Linda. Ich bestelle für uns jetzt noch dreimal heiße Himbeeren mit Vanilleeis und Sahne, und dann lassen Sie uns anstoßen mit dem Schlachtruf der ‹Weight Watchers›: ‹Nichts schmeckt so gut, wie schlank sein sich anfühlt!›»

Ich sah aus wie alle, bloß in alt. Jeder, der für Erdals «Food. com» arbeitete, trug den gleichen schwarzen Anzug, dazu ein weißes T-Shirt mit dem Firmennamen.

Erdal wirkte äußerst nervös.

«Also, Leute, wir haben es heute Abend mit fünfundsiebzig Gästen zu tun. Gefeiert wird der fünfzigste Geburtstag des Firmenchefs. Ab zwanzig Uhr gibt es Cocktails und asiatisches Finger Food.

Eine Stunde später starten wir das Buffet. Ulf übernimmt mit seiner Truppe das Live-Sushi-Rolling, Jenny kümmert sich mit ihren Mädchen um die Crêpes-Station und den Schokoladenspringbrunnen.

Damit es alle wissen: Wir haben drei Anfängerinnen im Team – Linda, Nele und Lilly. Ihr drei interessiert euch ausschließlich für abgegessene Teller und volle Aschenbecher. Wenn euch einer in den Hintern kneift, macht kein Geschrei, sondern kommt in die Küche. Da spucken wir dem Schwein dann alle gemeinsam in die Nachspeise. Fragen? Okay, dann an die Arbeit. Warte mal, Lilly, raus mit deinem Zungenpiercing!»

Ich kam mir vor wie Methusalem auf der Neugeborenenstation. Hier war ja keiner über zwanzig! Ich betrachtete Nele und Lilly und dachte, dass ich die beiden zur Welt hätte bringen können, wenn ich nicht immer an Typen geraten wäre, die sich mit dem Nachwuchs noch etwas Zeit lassen wollten.

Lilly hatte vergangenes Wochenende auf Sylt einen süßen Kite-Surfer kennen gelernt und ihm gegenüber behauptet, sie sei schon zweiundzwanzig. Allmächtiger, ein Mädchen, das sich älter macht, um Jungs zu beeindrucken! Womöglich würde sie zu diesem Zweck auch ihr Körpergewicht nach oben schummeln.

Nele, erfuhr ich, hatte ihrer fünfundvierzigjährigen Mutter zum Geburtstag eine Homepage geschenkt. Meine Mutter weiß nicht mal so genau, was das Internet eigentlich ist, und freut sich an jedem Geburtstag, dass sie ihn überhaupt noch erlebt und über die Flasche Eckes Edelkirsch von meinem Vater.

Zu mir waren die beiden Mädchen ausgesprochen freundlich, wie man es älteren Mitbürgern gegenüber eben so ist. Nele fragte vorsichtig: «Haben Sie schon mal im Service gearbeitet?»

«Ja, vor zwanzig Jahren. Ich mache das heute Abend nur Erdal zuliebe. Und könnten wir uns vielleicht duzen?»

Man kommt sich ja eigentlich immer erst dann alt vor, wenn man es mit Menschen zu tun bekommt, die einen alt finden. Oder wenn man in der Sauna zwischen zwei neunzehnjährigen Jungs sitzt, die sich über einen hinweg unterhalten, als sei man ein versehentlich liegen gelassenes Badelaken in Mittelbraun.

Ich will nicht behaupten, dass ich das bin, was man «jung geblieben» nennt, denn das klingt schrecklich. Aber alt?

Als Zwanzigjährige dachte ich, ich würde mich mit dreißig alt fühlen. Heute denke ich, dass ich mich wahrscheinlich mit fünfzig alt fühlen werde. Wenn ich mir allerdings die heute Fünfzigjährigen anschaue bei Bungee-Jumping, Complete Body Workout, Marathon oder Ehebruch, dann machen die eigentlich auch nicht den Eindruck, als würden sie sich so alt fühlen, wie sie sind. Irgendwie auch beunruhigend.

Wann ist der Zeitpunkt gekommen, wo man sich endlich zur Ruhe setzen darf? Im Ohrensessel gehobene Wohnzeitschriften durchblättern, ab nachmittags Sherry saufen und den Enkeln mit Geschichten aus den Siebzigern auf die Nerven fallen?

Ich will nicht mit neunundfünfzig noch ein schlechtes Gewissen haben, weil ich es nicht rechtzeitig zur Bauch-Beine-Po-Gruppe geschafft habe. Und der Gedanke, mit sechzig immer noch auf den Nachtisch zu verzichten, macht mich völlig fertig.

Ich bin dazu verdammt, eine ständig fettverbrennende und sich stetig weiterbildende iPod-Oma zu werden. Man hat uns unser natürliches Recht aufs Altsein genommen!

Rückblickend betrachtet habe ich mich wohl nie älter gefühlt als an meinem einundzwanzigsten Geburtstag. Da hatte ich das Gefühl, alles schon erlebt zu haben. Ich hatte Erich Fromm und Nietzsche gelesen, war zweimal verlassen worden und hatte einen Seitensprung, zwei Blasenentzündungen und drei Proseminare Anglistik hinter mich gebracht.

Als Stephan mich verließ, hatte ich das Gefühl, das Maximum an Leid erfahren zu haben. Als Stephan anrief und fragte, ob wir uns noch einmal sehen könnten, hatte ich das Gefühl, das Maximum an Glück erfahren zu haben.

Ich war sicher, dass alles, was noch kommen würde, zweitklassig sein würde, weil ich alles, was es wert war, gefühlt und erlebt zu werden, schon einmal gefühlt und erlebt hatte. Was sollte das Leben mir noch zu bieten haben?

Ich fürchtete, mich den Rest meiner Zeit langweilen zu müssen. Und wenn ich ganz ehrlich bin, dann habe ich mich in meinem Leben tatsächlich zu viel gelangweilt. Ich finde, zwischen zwanzig und dreißig vergeuden die meisten viel zu viel Zeit mit den falschen Menschen, den falschen Filmen und den falschen Büchern. Wenn man die Stunden zusammenrechnet, habe ich mich bestimmt zwei Jahre lang gelangweilt, bloß weil ich zu feige war, nach zehn Minuten das Kino wieder zu verlassen, ein Buch nach Seite dreißig nicht weiterzulesen oder einem faden Typen, der sich mit mir verabreden wollte, zu sagen: «Nein danke. Nicht heute und auch nicht in Zukunft!»

Inzwischen bin ich rigoroser. Mache weniger Kompromisse und gehe lieber früh ins Bett, als einen schlechten Film im Fernsehen zu Ende zu gucken. Langweilen tue ich mich nur noch mit mir selbst. Daran merke ich, dass ich älter geworden bin.

Die ersten Gäste kamen. Weil es draußen schüttete und viele Damen Pelz trugen, mieffte es bei den Garderobenständern bald wie in einem Käfig mit nassen, jüngst verstorbenen Kaninchen.

Die Frau des Gastgebers, eine gewisse Felicitas von der Rieke, winkte Erdal zu sich heran und beschwerte sich mit gehirnzersägender Stimme, dass man den Extrastuhl für Gwendolin vergessen habe. Gwendolin war ihr Pekinese.

Ein paar Minuten später wurde ich auf dem Klo Zeuge, wie Felicitas von der Rieke aus einer der Kabinen kam und – auf mich deutend – zu einer Dame am Waschbecken sagte: «Was waren das bloß für schöne Zeiten, als es noch Extratoiletten für das Personal gab.»

Sie warf mir einen geringschätzigen Blick zu und wandte sich Richtung Ausgang. Und da sah ich das Malheur. Ein Teil ihres eigentlich wadenlangen Rocks endete kurz über ihrem Po. Anscheinend hatte sich der Rock in ihrem Schlüpfer verfangen, was leicht passieren kann, wenn man sich in engen Toilettenkabinen hastig wieder anzieht.

Nach einer Millisekunde Schadenfreude beschloss ich, sie darauf aufmerksam zu machen, da ich selbst schon in ähnlich peinlichen Situationen gesteckt hatte. Mit kaltem Grausen erinnerte ich mich an eine Hochzeit, bei der ich, von mir unbemerkt, eine Rolle Klopapier hinter mir hergeschleppt hatte. So was gönnt man niemandem.

«Verzeihung, Frau von der Rieke», sagte ich frauensolidarisch, «ich fürchte, Sie haben aus Versehen den Saum Ihres Rocks in Ihre Unterhose gesteckt. Das ist mir auch schon häufig passiert.»

«Was?»

Sie hastete zum Spiegel und überprüfte ihren rückwärtigen Anblick.

«Sie Idiotin!», herrschte sie mich bebend vor Wut an. «Das muss so sitzen. Aber wie soll eine Serviererin auch wissen, dass radikale Asymmetrie in diesem Jahr der Trend auf allen Schauen ist!»

Zu einer offiziellen Entschuldigung gab mir Frau von der Rieke keine Gelegenheit. Sie rauschte grußlos hinaus. Hinter mir kicherte jemand.

«Was für eine aufgeblasene Ziege! Machen Sie sich nichts draus. Die liebe Felicitas kann hier eh keiner leiden – nicht mal ihr Mann.»

Dankbar betrachtete ich die Frau am Waschbecken. Ich schätzte sie auf Anfang vierzig. Sie hatte kurze blonde Haare und freundliche Lachfältchen um die Augen. Was sie im Spiegel sah, schien ihr nicht zu gefallen.

«Seit der Geburt meines Sohnes sehe ich aus, als sei ich immer noch schwanger.»

«Das wird sich doch in ein paar Monaten von selber erledigen», sagte ich aufmunternd.

«Der Junge wird nächste Woche fünf», erwiderte sie lachend. Wie sympathisch, genau die Sorte Frau, mit der man herrlich auf der Toilette über andere Leute herziehen kann. Ich wusch mir extra lang die Hände, um noch nicht wieder rauszumüssen.

«Was meinten Sie damit, dass nicht mal der eigene Mann Frau von der Rieke leiden kann?»

«Der liebe Sebastian hat schon seit vier Jahren ein Verhältnis mit einer blutjungen Zahnarzthelferin. Heute Abend treffen die beiden Frauen erstmals aufeinander.»

«Weiß Frau von der Rieke von der Geliebten?»

«Ja. Deshalb ist sie heute noch unausstehlicher als sonst.»

«Wieso lässt sie sich das Verhalten ihres Mannes gefallen?»

«Sie will ihn nicht verlieren. Und schon gar nicht die Villa am Falkensteiner Ufer und das Reetdachhaus in Kampen.»

«Drängt die Geliebte denn nicht auf Scheidung?»

«Selbstverständlich tut sie das, aber der liebe Sebastian will seine Häuser auch nicht verlieren. Um den finanziellen Folgen einer Scheidung zu entgehen, machen beide gute Miene zum bösen Spiel. Nur die Zahnarzthelferin macht heute Abend den Eindruck, sie sei auf Krawall gebürstet. Nachdem sie die Ehefrau leibhaftig gesehen hat, kann sie wahrscheinlich noch viel weniger verstehen, warum sie ewig die Nummer zwei bleiben soll. Zu vorgerückter Stunde könnte es da durchaus noch zu einem kleinen Skandal kommen.»

Vier Jahre ging das schon zwischen den beiden! Mir wurde ganz mulmig zumute. Was hatte Andreas gesagt? «Eine Weile musst du noch durchhalten.» Konnte es sich dabei um Jahre handeln?

Würde ich mit vierzig immer noch mit Shampoo in den Augen aus der Dusche springen, bloß weil das Handy klingelt und er es sein könnte? Würde ich mit vierzig immer noch alle drei Tage nicht ans Handy gehen, um nicht allzu verfügbar zu wirken?

Würde ich mit vierzig immer noch die Andere sein, die geheimnisvolle und Furcht einflößende Andere? Die niemandem Furcht einflößt, die nicht geheimnisvoll ist, sondern einfach nur diskret verschwiegen und bemitleidet wird?

Würde ich mit vierzig immer noch beinahe ersticken an

den vielen Forderungen und Vorwürfen, die ich nie ausgesprochen habe?

Oder würde ich mit vierzig ein Psychowrack mit strähnigem Haar und wirren Augen sein, wie man es aus «Eine verhängnisvolle Affäre» oder «Match Point» kennt? Beides mein seelisches Gleichgewicht belastendes Filmmaterial, bei dem die anfangs betörende und unkomplizierte Geliebte unbequem wird und daraufhin gewaltsam zu Tode kommt.

Ich denke, mit Affären ist es wie mit Partys: Du musst den richtigen Moment abpassen, um zu verschwinden. Gehst du zu früh, verpasst du vielleicht das Beste. Gehst du aber zu spät, endest du im Morgengrauen mit schauerlichen Gestalten an der Bar und wirst nie wieder eingeladen.

«Ich kenne mich in diesen Kreisen ja nicht aus», sagte ich, «aber könnten Sie sich vorstellen, vier Jahre lang darauf zu warten, dass Ihr Liebhaber Sie heiratet?»

«Ich würde keine vier Sekunden warten. Und ich würde meinen Mann keine vier Sekunden mit einer anderen teilen! Sind Sie denn verheiratet?»

«Nein.»

«Wohnen Sie in Hamburg?»

«Nein. Prenzlauer Berg.»

Wenn man sein Leben lang in einer Kleinstadt gewohnt hat, die kaum einer kennt, ist es schon ein erhebendes Gefühl, wenn man nur den eigenen Stadtteil nennen muss, und die Leute wissen Bescheid.

«Das ist ja lustig. Mein Mann wohnt zurzeit auch dort, weil er die Fusion von zwei Konzernen betreut. Sie müssen ihn kennen lernen. Er hat keine Freunde in Berlin und hockt deshalb jeden Abend mit Heimweh in seiner Firmenwohnung. Vielleicht könnten Sie mal zusammen ins Kino gehen. Das würde ihn auf andere Gedanken bringen. Kommen Sie doch nach dem Essen zu uns an den Tisch. Wir heißen Berger, Friederike und Johann Berger.»

Man sah mich sieben Minuten später hastig, mit verstörtem Blick und hochgeklapptem Mantelkragen das Gebäude verlassen.

«MR. PRESIDENT, WE DO HAVE A SITUATION HERE!»

Als ich zwei Tage später mit Erdal über den Abend sprach, hatte ich mich noch immer nicht von dem Schock erholt.

Meine Gefühle hatten keine Erfahrung mit einer derartigen Situation. Erdal dagegen platzte förmlich vor Glück, bei einem derartigen Drama praktisch live dabei gewesen zu sein.

Nachdem ich ihn per SMS über den Grund meiner Flucht informiert hatte, war Erdal mit Feuereifer dabei gewesen, das Ehepaar Berger zu observieren.

«Es tut mir sehr Leid, Linda, aber an der Frau gibt es nichts rumzumeckern. Sie ist eine von uns.»

Wie taktlos! Ich finde, nur weil man die Wahrheit kennt, ist das noch lange kein Grund, sie auch zu sagen.

«Die beiden sind bis zwei geblieben», fuhr Erdal schonungslos fort, «und nicht mal die größte Übelkrähe könnte behaupten, dass sie sich angeschwiegen hätten oder verzankt wirkten. So Leid es mir tut, dir das offen sagen zu müssen: Es gibt keine sichtbaren Hinweise auf eine fortschreitende Zerrüttung der Ehegemeinschaft.»

«Vielleicht haben sich die beiden einfach nur gut im Griff – so wie das Gastgeberehepaar», schlug ich niedergeschlagen vor.

«Linda, Liebes, ich wollte es dir ja eigentlich unter keinen

194

Umständen sagen, aber du musst wissen, wo du stehst: Sie hat ihn mit ihrem Nachtisch gefüttert.»

Ich war am Boden zerstört.

«Du tust gerade so, als hättest du nicht gewusst, dass er verheiratet ist», schrieb mir Andreas wenig feinfühlig. Der hat eben keine Ahnung, dass es was ganz anderes ist, wenn man zum Feindbild das Gesicht geliefert bekommt. Noch dazu, wenn dieses Gesicht so gar nicht zu dem Feindbild passen will. Da ist man doch auf der Stelle um seinen Seelenfrieden gebracht. Was man nicht sieht, kann man eben viel besser verdrängen. Selbstbetrug funktioniert nur, wenn man im richtigen Moment wegschaut und sich den Fakten verschließt.

Wenn ich zum Beispiel nachts nach Hause komme und vermuten muss, dass es unglaublich spät geworden ist und ich morgen unglaublich müde sein werde, dann schaue ich vor dem Zu-Bett-Gehen einfach nicht mehr auf die Uhr. Ich sage mir, es sei wahrscheinlich erst kurz nach zwölf. Und wenn ich sehr betrunken bin, dann glaube ich mir das sogar und schlafe zufrieden ein.

Daher steige ich auch nicht auf die Waage, wenn ich ahne, dass mir das Ergebnis nicht gefallen wird, und frage Johann nie, ob er mich liebt. Warum Fragen stellen, wenn man mit den Antworten höchstwahrscheinlich nicht zufrieden ist?

«Angst vor der Wahrheit», nennt Andreas das. Ich nenne es: Spekulations- und Hoffnungsspielräume schaffen.

Die Begegnung mit Johann Bergers Frau hatte mir jeden Spekulationsspielraum genommen. Und ich nahm es Frau Berger persönlich übel, dass sie eine Person war, die man nicht gerne betrog.

Warum musste sie ausgerechnet zu mir so freundlich sein? Ich hatte mir gewünscht, sie wäre eine dürre Pissnelke mit Pelzkrägelchen, kaltem Herzen und leerem Magen. Eine, der man guten Gewissens den Mann wegnehmen kann. Eine, die nicht mein Mitleid auslöst und, viel schlimmer noch, meine Solidarität.

Was fiel Johann Berger überhaupt ein, so eine Frau zu betrügen? Eigentlich war es eine Unverschämtheit, sie zu hintergehen und mir das Gefühl zu geben, er hätte eine Frau, die es nicht anders verdient.

Ich rief Silke an. Zutiefst von meinem Schicksal bewegt, konnte ich endlich mit vollem Recht statt «Hallo» oder «Na, wie geht's?» sagen: «Mr. President, we do have a situation here!»

«Was für ein Horror! Ich wäre auf der Stelle tot umgefallen!»

«Das konnte ich ja nicht. Da hätte sie wahrscheinlich Verdacht geschöpft. Ich habe mich zusammengenommen und höflich gesagt, dass ich jetzt wieder an die Arbeit müsse. Dann habe ich Erdal informiert und bin sofort abgehauen.»

«Und du hast Johann nicht erzählt, dass du zufällig seine Frau getroffen hast?»

«Natürlich nicht. Andreas und Erdal, beide sagen, dass es für einen Mann nichts Schrecklicheres gibt, als wenn sich Frau und Geliebte begegnen. Würde ich Johann von der Kloszene erzählen, könnte er so erschrecken, dass er unsere Beziehung sofort beendet.»

«Hallo, ihr habt keine Beziehung!»

«Ist ja gut.»

«Hast du dich seiner Frau gegenüber schuldig gefühlt?»

«Als sie mir ihren Namen sagte, kam ich mir so schäbig vor, dass ich dachte, sie müsse mir mein schlechtes Gewissen sofort ansehen. Es ist eben ein Reflex, dass man als Frau automatisch aufseiten der Betrogenen ist. Solidarität unter Schwestern, das gehört sich so. Aber wenn die Betrogene die Ehefrau deines Geliebten ist, hast du natürlich einen kleinen inneren Konflikt.»

«Was willst du tun? Dich trennen?»

«Das bringe ich nicht übers Herz. So weit reicht meine schwesterliche Solidarität nun auch wieder nicht. Ich werde es erst mal mit der bewährten Methode versuchen.»

«Verstehe: Verdrängung und Ablenkung. Du könntest ja mal wieder shoppen gehen.»

«Ich bin leider pleite, weil ich mir letzte Woche eine viel zu teure Jeans gekauft habe. Als ich sie anprobierte, sagte die Verkäuferin: ‹Ich bringe Ihnen die Hose lieber mal eine Nummer kleiner.› Ich war so dankbar für diesen Satz, dass ich für die Jeans auch das Doppelte ausgegeben hätte.»

«Schade, dass noch nie eine Verkäuferin so was zu mir gesagt hat. Ich würde für diese paar Wörter morden.»

«Es gibt einen Satz, der noch besser ist. Wenn den mal einer zu mir sagt, weiß ich, dass mir das Leben nichts Besseres mehr bieten kann.»

«Was soll das für ein Satz sein?»

«Dünner darfst du jetzt aber nicht mehr werden!»

Je länger ich an diesem regengrauen Freitagnachmittag an meinem Küchentisch sitze, desto klarer wird mir, dass ich sofort an drei Dinge herankommen muss: Ablenkung, Selbstwertgefühl und einen Mann, der mir kurzfristig das Gefühl gibt, er sei an einer langfristigen Beziehung interessiert. Mit mir natürlich, nicht mit seiner Frau.

Zum Äußersten entschlossen, schalte ich den Computer an und melde mich mit meinem Pseudonym «Paprika» beim «Dating Café» an.

Meine Verzweiflung hat mich reif gemacht für «Nuklearsprengkopf».

Ich finde seinen Steckbrief nicht. Stattdessen werde ich automatisch zur Seite «Erfolgsstorys» umgeleitet.

Mich trifft der Schlag: «Nuklearsprengkopf» ist vergeben!

Neben dem Foto von ihm und seiner neuen Liebsten steht:

«Überglücklich verabschieden sich Schmusekätzchen und Nuklearsprengkopf aus dem Dating Café. Bei uns hat es sofort gefunkt, und wir wollen allen Mut machen, unserem Beispiel zu folgen. Es kann klappen, sogar noch im Alter! Tschüs sagen Schmusekätzchen, 37, und Nuklearsprengkopf, 35.»

Im Alter? Würg!

Ich starre fassungslos auf das Foto. «Nuklearsprengkopf» sieht astrein aus. Und die scheiß «Schmusekatze», na ja, nicht schlecht. Ich will mich ja nicht selbst loben, aber da hätte er nun wirklich auch mich nehmen können.

Hätte ich ihm doch bloß geantwortet! Ich hätte ihn haben können. Die lahmarschige «Schmusekatze» ist doch nur die zweite Wahl. Mir hat er schließlich zuerst geschrieben! Mir, «Paprika», der «feurigen Neu-Berlinerin mit viel Witz und großem Herzen».

Hätte er doch nur ein Foto mitgeschickt. Dann wäre ich jetzt so gut wie auf dem Weg zum Traualtar. Ach, wäre ich doch bloß nicht so oberflächlich. Ich muss bei Gelegenheit an meinem Charakter arbeiten.

Aber jetzt brauche ich erst mal Trost. Ich habe Heimweh, und entweder packe ich jetzt sofort meine Koffer und scheuche Andreas aus meinem trauten Nest oder – ja, ich denke, die Situation verlangt nach Radikalität. In der allergrößten Not, wenn gar nichts mehr geht, hilft nur noch: Ikea!

Nirgends fühle ich mich geborgener, getrösteter, so eins mit der Schöpfung wie an diesem Ort, der überall auf der Welt gleich aussieht. Kaum gehe ich an den ersten Säcken mit Teelichtern vorbei und an «Klippan», dem Sofa, das an einen unvollendeten Sarg erinnert, schon fühle ich mich zu Hause, und alles Leid fällt von mir ab.

Hier ist nicht Berlin, hier ist nicht Großstadt. Hier ist überall. Nichts ist beeindruckend, nichts besonders schön und außer dem Hocker «Ture» für neun Euro auch nichts wirklich hässlich. Nichts ist besser, als man es sich für sich selbst vorstellen kann. Sogar das Kind auf dem Ikea-Katalog könnte selbst gezeugt sein.

Alles ist reell, vernünftig, erschwinglich. Wie Baumwollunterhosen: unsexy, aber alltagstauglicher als Seiden-Strings, die keine lauwarme Handwäsche überleben. Ikea ist wie die «Heiße Tasse» von Unox: günstig und selbst gemacht – na ja, irgendwie selbst gemacht.

Hier muss man sich nicht behaupten, hier sind alle gleich. Sobald du auf dem geblümten Sofa «Ektorp» probesitzt, gehörst du zur Familie, bist einer von uns, machst niemandem mehr Angst.

Wohlwollend betrachte ich meine Familienangehörigen: Ein Teenager entscheidet sich für «Todd», die Tonne mit Deckel. Ein Dicker lässt sich auf die Sitzinsel «Pösig» fallen. Eine alte Frau trägt das Bettwäsche-Set «Bibbi Snurr» zur Kasse. Heute und hier: alles meine Freunde! Wir haben doch alle früher im «Billy»-Regal irgendwas versteckt, was wir damals noch für unanständig hielten.

Ein junger Vater mit seinem Sohn an der Hand streicht zärtlich über eine Rückenlehne, als handele es sich um den inneren Oberschenkel von Scarlett Johansson. Ja, auch ich habe einst «Tormelilla» geliebt. Mein erstes Sofa. Auf dem ich meinen ersten Freund betrog, mein erstes Gedicht schrieb und meinen letzten orangenhautfreien Verkehr hatte.

Gute Bekannte, alte Freunde in jeder Abteilung: «Ingo», die Vitrine, «Antonius», die Aufbewahrungsserie, und «Billy» natürlich, immer wieder «Billy». Früher habe ich manchmal geträumt, dass ich berühmt werde und noch zu meinen Lebzeiten eine Straße oder eine Rose nach mir benannt wird. Inzwischen bin ich bescheidener. Gäbe es bei Ikea einen Wäschesack «Linda», würde mir das vollkommen reichen.

Mit leichtem Herzen, zwei Beuteln Teelichte und einem Geschirrabtropfständer aus Holz stehe ich schließlich an der Kasse.

Jetzt noch eine Runde «Köttbullar»-Hackbällchen, und ich bin der zufriedenste Mensch der Welt.

Abends hat sich die lindernde Wirkung der «Köttbullar» leider bereits verflüchtigt. Ich beginne, die Menschen durchzutelefonieren, die ich in Berlin kenne. Drei davon sind übers Wochenende weg, Nummer vier kenne ich eigentlich gar nicht. Ich rufe trotzdem an, denn die tragische Erfahrung mit «Nuklearsprengkopf» hatte mich gelehrt, Unbekannten gegenüber aufgeschlossener zu werden.

«Hallo, spreche ich mit Spilz?»

«Ja. Und wer bist du?»

«Ich heiße Linda und wohne vorübergehend in der Wohnung von Andreas.»

«Okay, dann weiß ich, wer du bist. Wie geht's dir?»

«Nicht so gut. Deswegen rufe ich auch an. Andreas meinte, wenn ich mal Ablenkung brauche, soll ich mich bei dir melden. Du seist auf jeder Party eingeladen und kämst in jeden Club rein.»

«Kein Problem. Wir treffen uns am späteren Abend auf der ‹Bread & Butter›-Party. Wir haben noch zwei Privatpartys am Start, und später wollen wir noch ins ‹Week End›, die ‹Panorama Bar› und das ‹White Trash›. Du wirst dich schon nicht langweilen.»

«Fein. Eine Frage noch. Was meinst du mit: ‹Wir treffen uns am späteren Abend›?»

«Also vor halb eins tauchen da nur Spacken auf.»

WHITE TRASH

Halb eins? Na toll. Und was mache ich bis dahin? Auf keinen Fall will ich noch eine Minute länger allein mit meinem Ärger über den verlorenen Sprengkopf und meinem schlechten Gewissen gegenüber Frau Berger verbringen.

Ich könnte meine Mutter anrufen und ihr sagen, dass ich auch dieses Jahr nicht mit Weihnachten feiern werde – was an den beiden Blagen mei-

ner Schwester liegt. Noch heute regt sich meine Mutter über die kleinen Penisse in ihrem Esstisch auf, die der Ältere von beiden aus Langeweile mit seinem Taschenmesser hineingeritzt hatte. Der Jüngere hatte sich die Zeit damit vertrieben, sich in den Hundekorb zu übergeben – in dem leider unser Hund lag.

Man muss dazu sagen, dass ich meine Schwester nicht besonders gut leiden kann. Sie ist zwei Jahre älter als ich und hat es von Anfang an verstanden, mir das Gefühl zu vermitteln, ein ungewollter Störenfried in der Familie Schumann zu sein. Gerne drückte sie mir Zahnpasta ins Auge, zwang mich, Regenwürmer zu essen, und legte mir Feuerquallen unters Kopfkissen. Einmal tauschte sie mich am Strand in Holland gegen eine Schildkröte ein – was ich ihr bis heute nachtrage.

Da ich Weihnachten liebe, habe ich schon vor Jahren beschlossen, das Fest jeweils ohne meine Familie zu verbringen. Auch die Adventszeit koste ich aus. Sie ist gerade lang genug, um in vollen Zügen in ihr zu schwelgen, und gerade kurz genug, um ihrer niemals überdrüssig zu sein. Es ist wie mit Abendkleidern: Man liebt sie besonders, weil man sie bloß so selten tragen kann.

Herrlich auch, dass Advent die einzige Zeit im Jahr ist, in der es nicht auf guten Geschmack ankommt. Im vorweihnachtlichen Goldrausch ist es vielmehr erlaubt und erwünscht, endlich all das zu lieben, was man den trostlosen Rest des Jahres verachten soll – Elche zum Beispiel, die «Ho-ho-ho, it's Christmas Time!» röhren, oder rot bemützte Bären mit Schellen in den Tatzen, die «Jingle Bells» spielen.

Nie sind Pauschalisierungen zutreffender als in der seligen Weihnachtszeit: Frauen neigen zum Dekorieren, Männer neigen dazu, Frauen daran zu hindern.

Es muss an frühkindlichen Sozialisationsdefiziten liegen, vielleicht auch am Hirnvolumen, dass Männer in der Adventszeit für mich nur schwer nachvollziehbare Dinge sagen wie «Der Weihnachtsmann sieht aus wie eine Puffmutter mit Damenbart» und «Ich kann nicht einschlafen, wenn die Lichterketten ständig blinken».

Oder, um den Vorgang des weihnachtlichen Schmückens
schon im Keim zu ersticken: «Manchmal ist weniger ja auch
mehr!»

Dieser oberdämliche Satz hat noch nie gestimmt. Richtig
ist: Mehr ist mehr! Eine sparsam dekorierte Wohnung ist
wie das liebe Jesulein ohne Windeln, nackt, fröstelig, ungemütlich. Nur im Sommer ist eine karge Unterkunft erträglich: Man ist in der Regel nicht zu Hause, sondern muss sich
die Schultern auf unsäglichen Wochenendausflügen versen-
gen.

Natürlich hatte ich Andreas angeboten, meine Weihnachts-
Deko zu benutzen. Und natürlich hatte er abgelehnt. Er wird
das tun, was er schon immer mal an Weihnachten tun wollte: DVDs gucken, im I-Tunes Music-Store stöbern, Pizza mit
Thunfisch essen – und dabei nicht eine einzige Kerze anzün-
den.

Rufe ich jetzt meine Mutter an? Ach, lieber nicht. Sie wird es mir wieder übel nehmen, dass ich zum Fest nicht nach Hause komme, obschon sie zugeben muss, dass sie ihr letztes friedliches Weihnachten erlebt hat, bevor meine Schwester laufen lernte.

Um neunundzwanzig Minuten nach Mitternacht betrete ich eine riesenhafte Fabrikhalle – Betonboden, Betonwände, Betondecke – und frage mich, wo der gute alte Brauch geblieben ist, sich zum Ausgehen was Hübsches anzuziehen und zumindest eine tönende Creme aufzulegen.

Mein erster Eindruck: blasse Gesichter unter fragwürdigen Mützen, Unterhemden, oversized Jeans, die sich verzweifelt an undersized Hüften festklammern. Ich sehe nicht ein einziges geputztes Paar Schuhe. Außer meinen, leider.

Die Mädchen sehen aus wie untrainierte Jungs, trinken

Bier aus der Flasche und haben eine Körperhaltung, die Orthopäde zum Beruf mit Zukunft macht.

Um nicht unnötig aufzufallen, lasse ich die Schultern etwas hängen und greife nach einer Flasche Bier.

Dass Spilz mich trotzdem sofort erkennt, verstimmt mich ein wenig. Er hat ein sehr hübsches Gesicht, aber seine Haare werden von einem mützenartigen Filzobjekt verdeckt, das aussieht, als wäre es zufällig von irgendwoher auf seinem Kopf gelandet.

Ich wusste gar nicht, dass Filz wieder modern ist. Ich dachte, daraus würden nur noch Plättchen gemacht, die man unter Stuhlbeine klebt, damit das Parkett nicht zerkratzt.

«Schreibst du auch gerade ein Drehbuch?», schreit Spilz mir ins Ohr.

«Nein. Wieso?»

«Weil ich heute Abend nur Leuten begegne, die entweder gerade ihr erstes Drehbuch schreiben, ein Independent-Magazin entwickeln wollen oder freie Künstler sind.»

«Ich bin freie Übersetzerin.»

«Wow! Ein echter Beruf, mit dem man sogar Geld verdient. Ich gratuliere.»

Einen Moment lang frage ich mich, ob ich mich schämen soll.

«Sieh dich hier um, Linda, die meisten dieser Leute sagen sich, dass Kunst die edelste Form der Arbeitslosigkeit ist.»

Spilz hat mal mit Andreas zusammengewohnt und ist heute einer seiner besten Freunde. Seinen Spitznamen verdankt er seiner ersten Freundin, die sich im Überschwang ihrer Gefühle nicht zwischen zwei Kosenamen entscheiden konnte und sich verhaspelte. So wurde «Spatz» und «Liebling» zu «Spilz».

«Sag mal, Linda, wovon willst du dich heute Abend eigentlich so dringend ablenken?»

«Ich habe die Ehefrau des Mannes kennen gelernt, in den ich mich verliebt habe.»

«Ja wie geil ist das denn, bitte! Du hast deinen Geliebten mit dessen Frau erwischt? Das ist ja mal ganz was anderes. Bei Andreas ist es ja eher klassisch gelaufen.»

«Was meinst du mit ‹klassisch›?»

«Er hat rausgekriegt, dass seine Freundin was mit einem anderen Typen hatte. Die war so verpeilt, dass sie ihm eine SMS geschickt hat, die für den anderen bestimmt war – der Klassiker eben. Andreas hat die Frau daraufhin sofort in den Orbit geschossen und ist eine Woche später in dieses Dorf abgehauen, wo du herkommst und dessen Name mir nie einfällt.»

«Jülich ist eine Kleinstadt mit 33 500 Einwohnern.»

Andreas hat sofort Schluss gemacht? Kein Wunder, dass er beim Thema Betrug und den jüngsten Entwicklungen meines Liebeslebens so zurückhaltend reagiert. Auch nicht erstaunlich, dass er mir wie ein Moralapostel vorgekommen war. Und irgendwie verständlich und sogar ziemlich rücksichtsvoll von ihm, dass er mir die Umstände seiner Trennung erspart hatte.

Gleichzeitig frage ich mich, ob es in diesem Land überhaupt noch einen einzigen treuen Menschen gibt. Außer mir. Oder ist man selbst automatisch untreu, wenn man sich mit einem Ehebrecher einlässt? Ich glaube nicht. Ich gehe davon aus, dass man immer nur seinen eigenen Partner betrügen kann.

«Handys sind der Fluch jeder Beziehung», sagt Spilz. «Ich würde gerne mal wissen, wie viele Beziehungen pro Woche an SMS zugrunde gehen, die von unbefugten Augen gelesen werden. Ich habe gelesen, dass in Deutschland täglich eine Milliarde SMS verfasst werden, die meisten und längsten von Frauen.»

Das wundert mich ja nun überhaupt nicht. Und ich wette, die Hälfte der SMS von Frauen besteht aus Sätzen wie: «Hast du meine SMS bekommen?», «Warum meldest du dich nicht?», «Ist das dein Ernst? Lass uns bitte nochmal reden!» oder «Ich rufe dich jetzt gleich mal an.»

Meine Theorie ist, dass man Männern durch das Short-Message-System fahrlässig eine Möglichkeit gegeben hat, sich noch kürzer zu fassen, als sie es ohnehin schon immer getan haben. Zudem lässt sich dank SMS Gesprächen, Diskussionen und bohrenden Nachfragen ganz prima aus dem Weg gehen. SMS – ich denke, ich gehe nicht zu weit, das zu sagen – haben zur Zementierung schlechter männlicher Eigenschaften beigetragen.

Es gibt noch nicht einmal ein ordentliches Wort für SMS. Das finde ich persönlich ja schon verdächtig. Ich frage mich wirklich, warum sich niemand die Mühe macht, sich mal konzentriert einen Nachmittag hinzusetzen und einen guten Namen zu finden.

Stattdessen stehen wir da mit der komplett beknackten Bezeichnung «simsen» für etwas, was alle ständig tun, für etwas, was viel Leid über die Menschheit gebracht hat und insbesondere zwischen den Geschlechtern für mehr Katastrophen gesorgt hat als die Erfindung der «Sportschau».

Ich finde ja, dass das Verschicken von Kurznachrichten zwischen Männern und Frauen grundsätzlich verboten werden sollte. Man muss es ganz deutlich sagen: Kommunikation ist der Störfaktor Nummer eins in Beziehungen. Ich würde sogar so weit gehen, Männern und Frauen das Reden komplett zu untersagen, denn wenn man ehrlich ist, geht es unangemessen oft schief.

Frauen könnten das, worüber sie reden wollen, der Einfachheit halber gleich ihren sechs engsten Freundinnen erzählen. Und Männer könnten das, worüber sie nicht reden wollen, friedlich mit ihrem Kumpel beim Bierchen nicht besprechen und sich anschließend total verstanden fühlen.

«Wenn du mich fragst, war Andreas' Beziehung schon vorher im Eimer. Ihre Affäre war nur der endgültige Auslöser. Andreas war schon länger nicht mehr glücklich. Habt ihr eigentlich schon darüber gesprochen, wann ihr eure Wohnungen wieder tauscht? Für mich wäre es gut, wenn Andreas bald wieder in Berlin ist.»

«Wir wollen das nach Silvester entscheiden.»

«Und, bist du so weit zurückzugehen?»

«Ich glaube schon, aber ich will nicht mehr.»

«Wegen des anderen?»

In derselben Sekunde wird Spilz von einem Mädchen auf die Tanzfläche gezogen.

Ich hätte nicht gewusst, was ich antworten sollte.

«WENN EINE FRAU SCHWEIGT, WILL EIN MANN AUF KEINEN FALL WISSEN, WARUM. EIN NATURGESETZ»

«Das war sehr schön, Kleines.»

Ich schweige. Und tue etwas, was ich viel zu selten tue: Ich frage mich zur Abwechslung mal, ob ich es eigentlich auch schön fand. Ging so, ehrlich gesagt. Ich fand mich überzeugender als ihn.

Meistens bin ich mehr damit beschäftigt zu gefallen, als Gefallen an etwas zu finden. Meistens bin ich mehr damit beschäftigt, auf jemanden wirken zu wollen, als mich zu fragen, wie jemand auf mich wirkt. Ich habe größere Sorge, langweilig zu sein, als mich zu langweilen. Und ja, ich habe auch schon mal meine Körperfett-Waage mit in den Urlaub genommen. Und ich gebe zu viel Geld aus für Cremes, die ewige Jugend versprechen, und ich habe ständig kalte Füße. O Mann, ich bin so typisch Frau.

Im Übrigen entsprechen auch die meisten Männer, die ich kenne, den gängigen Klischees. Irgendwie auch beruhigend. Ich fühle mich geborgen auf dieser Welt, wenn ich sehe, wie der Bus einem Mann vor der Nase wegfährt, weil er seinen Schritt nicht in einer eines wahren Mannes unwürdigen Weise beschleunigen wollte. Männer rennen nicht, es sei denn um die Wette.

Ich hingegen sprinte schon aufgeregt los, wenn sich bei

der Überquerung einer Landstraße aus einigen hundert Metern Entfernung ein Trecker nähert. Sicher ist sicher, sage ich mir.

Männer fragen auch niemals und unter gar keinen Umständen nach dem Weg. Ich möchte gar nicht wissen, wie viele kostbare Stunden im Leben von gut ausgebildeten Frauen verschwendet werden, weil sie zur Tatenlosigkeit verurteilt auf Beifahrersitzen festgeschnallt sind, während eine gepresste Kopfstimme neben ihnen immer wieder Sätze formuliert wie: «Wir sind gleich da», «Dahinten muss es sein» oder «Die haben das auf der Karte falsch eingezeichnet.»

Irgendwo habe ich mal gelesen, dass Moses nur deshalb geschlagene vierzig Jahre auf der Suche nach dem Gelobten Land war, weil er nicht nach dem Weg fragen wollte.

Letztendlich sorgt es nur für Irritationen, wenn Männer sich anders verhalten, als man es seit Jahrtausenden von ihnen gewohnt ist.

Silke zum Beispiel war mal mit einem Typen zusammen, der sich bei schaurigen Szenen im Kino immer erschrocken an sie klammerte. Er fragte Passanten bereits nach dem Weg, wenn er sich noch gar nicht verfahren hatte, bekam bei Vollmond Kopfschmerzen und benutzte die gleiche Heizdecke wie ich.

Silke trennte sich alsbald. Der Typ hat sehr geweint und ihr noch etliche Gedichte hinterhergeschrieben.

Der Mann neben mir ist nicht emanzipiert, da brauche ich mir keine Sorgen zu machen. Bei dem stimmen die Klischees. Er ist gerade sehr zufrieden mit sich und geht davon aus, dass ich es dann ja wohl auch sein muss.

Er setzt sich auf und zündet sich eine Zigarette an.

«Seit wann rauchst du denn wieder?», frage ich.

«Nur zu besonderen Anlässen. Du hast mir so wahnsinnig gefehlt, Linda.»

Lieber mal weiterschweigen, denke ich. Natürlich hat er mir auch gefehlt. Aber es ist verdammt viel passiert in der Zwischenzeit.

Er ist völlig überraschend gekommen, und ich hatte keine Zeit gehabt, die Wohnung durch Beseitigung typisch weiblicher Gegenstände auf typisch männlichen Besuch vorzubereiten. Mein Jogging-BH liegt neben der neuen «Petra» mit dem Titelthema «Single-Weihnachten: So wird's trotzdem ein schönes Fest!», und auf meinem Nachttisch steht eine Handcreme gegen Pigment- und Altersflecken.

Einigermaßen unangenehm ist mir auch der Ausblick auf das «Brigitte»-Fitness-Poster, das ich mit Tesafilm an die Wand gegenüber vom Bett geklebt hatte – zu Motivationszwecken. Das «Body-Power-Programm» zeigt eine durchtrainierte Dame in rosa Sportkombi bei der Ausführung diverser Leibesübungen; Themenschwerpunkte: Gewebestraffung, Muskelaufbau und Fatburning, beginnend mit lockerem «Marching», gefolgt von «Knee Lifts», dem zügigen «Step Touch» und dem finalen «Bridging».

Auf dem Nachttisch steht die Flasche Sekt, die wir am Nachmittag aufgemacht haben. Ich finde es großartig, tagsüber im Bett zu rauchen und Alkohol zu trinken. Das tun Frauen, die tiefe Stimmen haben und zerbrochene Herzen.

Wenn man sich das «Brigitte»-Poster jetzt mal großzügig wegdenkt, komme ich mir vor wie auf einer Schwarzweißfotografie. Oder wie die Hauptdarstellerin in einem Film, der einen nervös macht, weil man denkt, das Leben könnte ja eigentlich auch ganz anders sein.

Ich fühle mich, als hätte sich das hier alles jemand ausgedacht.

Silke hat Recht: Ich erkenne mein eigenes Leben nicht wieder!

«Seit ich ihn Berlin bin», sage ich zu dem Mann neben mir, «habe ich kein einziges Mal deinen richtigen Namen ausgesprochen.»

«Wie hast du mich denn genannt?»

«Draco.»

Es ist ein ärgerliches Phänomen sowohl in der Liebe als auch beim Wetter: Sobald du endlich aufgehört hast, auf ihn zu hoffen, kommt der Sommer. Und sobald du es wieder aushalten kannst, ohne ihn zu sein, steht plötzlich dein Exfreund vor der Tür.

Auch mit der männlichen Sensibilität hat es etwas Seltsames auf sich. Unter normalen Umständen merkt der durchschnittliche Lebensgefährte ja gerne mal gar nichts. Schweigst du stundenlang bedeutungsvoll, freut er sich eher über die erholsame Stille, als dass seine Neugier oder gar seine Sorge geweckt würde.

Wenn eine Frau schweigt, will ein Mann nicht wissen, warum. Ein Naturgesetz. Das Einzige, was ein Mann zuverlässig und selbst über Kontinente hinweg erspürt, ist, wenn du aufhörst, dich für ihn zu interessieren.

Jede meiner Freundinnen hat es mehrmals erlebt, dass der Ex auf der Matte stand, sobald sie

a) seine Geschenke wieder aus dem Keller geholt hatte, weil sie mittlerweile keine schmerzlichen Erinnerungen mehr auslösen, sondern bloß gut zur restlichen Innendekoration passen,

b) das genaue Datum der Trennung vergessen hatte oder

c) sie sich auch nur ansatzweise in einen anderen verliebt
hatte.

Ehrlich, Exfreunde machen dir immer gerade dann das Leben schwer, wenn es anfängt, ohne sie wieder einigermaßen leicht erträglich zu sein. Das merken die. Und das mögen die nicht. Da schnappen die reflexartig zu, wie ein Hund, dem man seinen längst abgenagten Knochen wegnehmen will.

«Ich hätte nicht gedacht, dass du es in Berlin länger als zwei Wochen aushältst. Respekt, Kleines.»

Draco schaut mich an wie sonst nur den Torschützenkönig seines Fußballvereins.

Ich habe mich nicht gefreut, als er vor drei Stunden plötzlich vor meiner Tür stand. Ich hatte ihn einfach nur angestarrt und nicht gewusst, was ich denken, geschweige denn sagen sollte. Eine Million Mal, zurückhaltend geschätzt, hatte ich mir diese Situation ausgemalt.

Und jetzt stand ich strubbelig und verkatert vor dem Mann, den ich noch vor wenigen Wochen für mein Schicksal gehalten hatte. Meine Füße steckten natürlich in Hüttenschuhen und meine Gedanken waren in Kiel bei meinem Liebhaber und dessen Frau.

Draco hatte meine Sprachlosigkeit offensichtlich als Zeichen emotionaler Überwältigung gedeutet und mich wortlos und heftig an sich gezogen. Eigentlich ziemlich genau so, wie ich es mir vorgestellt hatte, als ich es mir noch vorgestellt habe.

«Du brauchst nichts zu sagen, Kleines. Ich weiß, was du fühlst. Und glaub mir, mir geht's genauso.»

Was hätte ich sagen sollen? Etwa: «Ach, dann fühlst du also

auch gar nichts?» Ich schwieg also lieber und wartete darauf, etwas zu empfinden.

Draco war auf dem Weg an die Ostsee, wo er mit Freunden die Weihnachtstage verbringen wollte. Unterwegs, sagte er, habe ihn die Sehnsucht übermannt.

Ich hatte mir erlaubt, nach dem Verbleib von Doris zu fragen, aber statt zu antworten, sagte er: «So dünn wie du geworden bist, müsste ich dich eigentlich ins Schlafzimmer tragen können.»

Diese etwas rustikale Art hatte ich recht charmant gefunden – zumal es ihm tatsächlich gelang, ohne sich einen Bandscheibenvorfall zuzuziehen.

Jetzt sitze ich neben ihm im Bett, rauche und denke über Fragen nach, die ich mir definitiv zum ersten Mal in meinem Leben stelle:

1. Ist es eigentlich Betrug, wenn man eine Affäre hat und währenddessen mit seinem Exfreund schläft?
2. Kann man überhaupt einem Mann untreu sein, der seine Frau betrügt?
3. Was ist mit Doris? Der alten Schlampe würde ich es ja schon gerne heimzahlen. Waren sie und Draco noch zusammen? Betrog Draco gerade seine ehemalige Geliebte und aktuelle Freundin mit seiner Ex?
4. Und was würde Bergers Frau sagen, wenn sie erfährt, dass ihr Mann nicht nur eine Geliebte hat, sondern von der auch noch hintergangen wird?

Ich bin solche unübersichtlichen Verhältnisse und die daraus resultierenden komplexen Fragen einfach nicht gewohnt und komme mir, wie häufiger in den letzten Wochen, etwas fremd vor. Auf einmal ist mein Leben aufregend. Warum noch ins

Kino gehen? Es reicht doch, zu Hause zu bleiben. Da erlebe ich schon genug.

«Ich bin froh, dass ich gekommen bin. Ich weiß jetzt, dass ich einen Fehler gemacht habe. Das mit Doris war eigentlich nur ein Ausrutscher. Aber du musstest mir ja gleich die Pistole auf die Brust setzen.»

«Du meinst, eigentlich bin ich schuld?»

«Das wäre zu viel gesagt, aber besonders klug hast du dich wirklich nicht verhalten. Du hättest mich einfach nicht so unter Druck setzen sollen.»

«Dann bitte ich um Entschuldigung. Ich hoffe, du kannst mir verzeihen, dass ich auf deinen Betrug nicht ganz so diplomatisch reagiert habe, wie du es dir gewünscht hast.»

«Warum bist du so gereizt, Kleines? Ich weiß ja, dass ich dich verletzt habe, aber ich bin extra nach Berlin gekommen, um das wieder gutzumachen.»

«Was ist mit Doris? Seid ihr noch zusammen?»

«Nicht wirklich.»

«Was soll das heißen?»

«Ich wollte erst sicher sein, dass das mit uns wieder was wird. Aber jetzt werde ich mich natürlich sofort von ihr trennen.»

Ich habe ganz vergessen, dass Draco schon immer dazu neigte, das, was er denkt, auch auszusprechen. Und die eigentümliche Mischung aus Vertrautheit und Fremdheit macht es mir unmöglich, mich irgendwie sinnvoll zu verhalten. Ich beschließe, das Geschehen möglichst unkommentiert zu registrieren und später mit Hilfe von Erdal, Silke und Andreas herauszufinden, wie ich eigentlich dazu stehe.

«Dieser Andreas ist ja ein ziemlicher Idiot», ruft Draco aus der Küche.

«Du hast ihn kennen gelernt?»

«Ich wollte dir aus deiner Jülicher Wohnung eins von deinen Stofftieren mitbringen, als Gruß aus der Heimat sozusagen. Aber der Typ wollte mich nicht reinlassen.»

«Meine Stofftiere sind sowieso alle hier.»

«Das hat mir der Typ auch gesagt. Deine Adresse wollte er mir nicht geben. Er meinte, ich hätte ja deine Handynummer und solle dich selbst fragen, ob du Besuch von mir bekommen möchtest. Der hat sich echt ganz schön aufgespielt. Als würde er dich schon ewig kennen. Ich hab die Adresse dann von deiner Mutter bekommen. Ich lass mir doch von so einem Idioten nicht die Überraschung verderben.»

Ich ziehe meinen Bademantel über, gehe in die Küche – und bin nicht angenehm überrascht von einem bekannten, aber nicht geschätzten Anblick: Nur mit einem eingelaufenen T-Shirt bekleidet, steht Draco vor dem Fenster und isst einen Joghurt.

Es spricht für sein gesundes Selbstbewusstsein – und gegen seine gesunde Selbsteinschätzung –, wie selbstverständlich er sein Geschlechtsteilchen unverhüllt herumhängen lässt.

Ich finde ja – und ich teile diese Ansicht mit allen mir bekannten Frauen –, dass das männliche Geschlechtsorgan, besonders kurz nach dem Sex, keinen erhebenden Anblick bietet und in all seiner Schrumpeligkeit am besten in gut schließenden Boxershorts aufgehoben ist.

Alle mir bekannten Männer sehen das allerdings anders und scheinen zu glauben, dass Frauen immer noch vom Penisneid zerfressen sind.

Draco und sein Penis fühlen sich jedenfalls so zu Hause

in meinem Leben, als hätten sie es nie verlassen. Ich fühle mich in meinem Leben im Moment allerdings überhaupt nicht mehr zu Hause. Ich äuge unsicher zu Draco hinüber. Er lächelt zufrieden. Der Hund hat seinen abgenagten Knochen wieder in Besitz genommen.

«Sag mal, Kleines, ich hab kein Wasser im Kühlschrank gefunden.»

«Alles leer.»

«Dann gehe ich mal schnell rüber zur Tankstelle und hole welches. Für dich mit oder ohne Kohlensäure?»

Mein lieber Andreas!

Gleich ist Heiligabend, und ich wollte dir nochmal sagen, wie froh ich bin, dass du nicht hier bist. Du würdest deine Wohnung nicht wieder erkennen – und wahrscheinlich vor deinen Freunden verleugnen. Für meinen Geschmack hat sie sich sehr zu ihrem Vorteil verändert, auch wenn ich im weihnachtlichen Übereifer den Tannenbaum ein paar Nummern zu groß gekauft habe. Er steht vorm Wohnzimmerfenster, und einen Ausblick nach draußen gibt es in diesem Sinne nicht mehr.

Mit vier Pfund Lametta und einigen Metern Lichterketten entfaltet der Baum einen wuchtigen Liebreiz.

In deinem Ofen, der es in seinem bisherigen Leben ja nur mit Thunfischpizza und Aufbackhörnchen zu tun hatte, brät eine riesenhafte Ente. In gut einer Stunde kommen Erdal, seine Mutter und ein Überraschungsgast. Es bleibt also noch etwas Zeit, dich auf den Stand der Dinge zu bringen.

Draco mag dich nicht, weil du ihm gesagt hast, er solle mich fragen, bevor er einfach so in Berlin bei mir auftaucht. Er kann ja auch schlecht wissen, dass du meistens Recht hast – und mich besser kennst, als mir manchmal lieb ist.

Sein Auftauchen hat mich verwirrt. Auf einmal kam

ich mir betrogen vor. Da hat man monatelang maximalen Kummer, macht sich zum Deppen, schläft schlecht, arbeitet wenig, heult viel, geht Freunden rund um die Uhr auf die Nerven – und das soll mit einem Mal alles für die Katz gewesen sein? Das ist mir irgendwie auch nicht recht. Man leidet doch ergebnisorientiert. Man leidet, damit man es irgendwann hinter sich hat. Und nicht, um hinterher festzustellen, dass man sich das Leid hätte sparen können.

Draco ist hereinspaziert, als sei in der Zwischenzeit nichts geschehen. Als hätte ich ein halbes Jahr nichts anderes getan, als auf ihn zu warten. Nun stimmt das ja auch beinahe, aber davon auszugehen ist eine Unverschämtheit.

Aber immerhin, ein Traum wird wahr: Er will mit Doris Schluss machen und wieder mit mir zusammen sein.

Auf den Gedanken, dass ich ihn eventuell nicht zurückhaben möchte oder gar einen anderen habe, ist er überhaupt nicht gekommen.

Er war ganz der Alte. Aber vielleicht bin ich nicht mehr ganz die Alte?

Vor Silvester will er wiederkommen. Johann Berger übrigens auch. Er scheint zu wittern, dass etwas nicht in Ordnung ist, denn er schreibt auf einmal SMS wie ein Weltmeister.

Ganz schön was los in meinem Leben, oder? Es ist schon fast kein Triumph mehr, dass mein Liebhaber jetzt endlich das tut, was er nie getan hat, solange ich es darauf angelegt habe: zappeln!

Lieber Andreas, ich wünsche dir einen Weihnachts-
abend ganz nach deinen Wünschen.

Herzlich
Deine Linda

PS: Du willst doch heute Abend fernsehen. Ich habe
für dich das Programm studiert. Um viertel nach
acht kommt «Vier Hochzeiten und ein Todesfall»
- ein wunderbarer Tränenschocker! Bei der Beerdigung von Gareth trägt sein Freund von Tränen unterbrochen ein Gedicht vor. Ich habe mir die ein-
drucksvollste Zeile für meine eigene Beerdigung
gemerkt:
«Fegt weg den Wald und des Meeres Flut.
Nie wird es sein, so wie es war.
Nie wieder gut.»
Wer an dieser Stelle nicht vor laufendem Fernseher
heulend zusammenbricht, hat entweder Biophysik in
fünf Semestern fertig studiert oder gehört in the-
rapeutische Behandlung.

So, bevor ich ins Plaudern gerate, muss ich jetzt
mal nach der Ente gucken.

Von: Andreas Szabo
Betreff: Re: Ente gut, alles gut?
Datum: 24. Dezember 20:07:39 MESZ
An: Schumannli@aol.com

Liebe Linda!
Vielen Dank für deine TV-Tipps. Das Programm ist
wirklich schockierend. Außer einem Kriegsfilm nach
Mitternacht auf Pro 7 ist nichts Interessantes
dabei. «Vier Hochzeiten und ein Todesfall» werde
ich mir bestimmt nicht anschauen. Ich bin froh, um
nicht zu sagen: stolz, dass ich es bisher vermeiden
konnte, einen Film zu sehen, in dem die Damen Hugh
Grant, Kevin Costner oder Meg Ryan mitspielen.

Aber ehe du dir Sor-
gen um die Gestaltung
meines Heiligabends
machst: Ich habe mir
Filme ausgeliehen, in
denen in möglichst
kurzer Zeit mög-
lichst viel kaputt-
geht, «Conair» zum
Beispiel. Außerdem
habe ich bereits die
zweite Thunfischpizza
im Ofen. Es geht mir
also bestens.
Vielleicht freut es
dich, dass du inzwi-
schen einen nicht zu

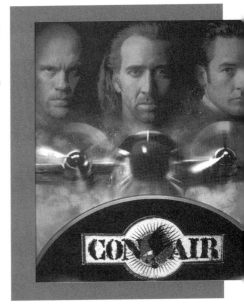

unterschätzenden Einfluss auf mich hast: Ich habe
gerade eine Kerze unter deinem unsäglichen Gespens-
ter-Windlicht angezündet.
Aber bitte erzähl meinen
Freunden nichts davon.
Zu deinem Liebesleben sage
ich besser nichts mehr.
Nur eins noch: Was sind
das für Typen, die sich
nur dann um dich bemühen,
wenn sie Angst bekommen,
dich zu verlieren?

Wie wär's zur Abwechslung
mit einem, der dich nicht
nur haben, sondern auch
behalten will?

Happy Ente und fröhliche Weihnachten!
Dein Andreas

«MIT MÄNNERN IST ES WIE MIT ASPIRIN – MANCHMAL BRAUCHT MAN ZWEI»

Es ist drei Uhr morgens und Heiligabend ist vorbei. Gerade habe ich Andreas' Mail gelesen. Zum Glück bin ich zu betrunken, um noch ernsthaft darüber nachzudenken, ob er womöglich mal wieder Recht hat.

Warum muss er mir auch immer alles vermiesen? Da freut sich unsereins, dass sich tatsächlich einmal im Leben gleich zwei Männer für einen interessieren, und schon kommt so ein Neunmalkluger daher und macht dem Höhenrausch mit zwei, drei schmerzhaften Argumenten ein Ende.

Ob er noch wach ist? Ob ich ihn einfach mal anrufe, um ihn persönlich zu beschimpfen? Was er wohl für eine Stimme hat, mein Freund Andreas, der Besserwisser, der alles über mich besser weiß? Nein, ich rufe ihn nicht an. Das wäre zu intim. Ich werde mich morgen in Ruhe über seine Mail ärgern.

Immerhin habe ich an diesem langen Abend vier Beschlüsse gefasst.

Beschluss Nummer eins, Betreff: Welcher Mann?

Bis Silvester werde ich mich entscheiden: Beziehung mit Draco? Affäre mit Johann Berger? Oder vielleicht beides?

Erdal und seine Mutter waren entzückt über die jüngsten Entwicklungen.

«Warum sich entscheiden, Liebes? Am Buffet nimmst du doch auch von allem etwas!», meinte Erdal begeistert.

Renate Küppers-Gökmen röhrte mit der Wucht eines Schwertransporters: «Lasst uns anstoßen, ihr Lieben! Ich will mal so sagen: Mit Männern ist es wie mit Aspirin – manchmal braucht man zwei!»

«Aber nur, wenn man einen schlimmen Kater hat», gab Karsten, der Überraschungsgast des Abends, zu bedenken, wurde aber sofort als elender Miesepeter und verknöcherter Moralist zum Schweigen gebracht.

Beschluss Nummer zwei, Betreff: Welche Stadt?

Ich werde erst mal in Berlin bleiben und mir eine Wohnung auf Zeit suchen. Erdal schlug mir vor, in Hamburg zu leben und in Karstens Wohnung zu ziehen. «Die Sache mit dem Miststück hat sich erledigt. Deshalb haben Karsten und ich beschlossen zusammenzuziehen.»

Erdal hatte mich gleich zu Beginn des Abends beiseite genommen und mir die neuesten Entwicklungen berichtet.

«Sei nicht böse, dass ich mich nicht mit dir beratschlagt habe, Linda, aber die wesentlichen Entscheidungen seines Lebens muss ein Mann ganz allein treffen. Ich habe beschlossen, ganz ich selbst zu sein. Ich bin nun mal nicht geduldig und gelassen. Ich übertreibe und überstürze alles. So kennt mich Karsten, und so hat er sich auch in mich verliebt.»

«Worauf willst du hinaus?»

«Nach der Party in Travemünde wollte ich ja eigentlich nie wieder was mit ihm zu tun haben, aber dann habe ich ein halbes Pümpchen Asthma-Spray und eine drei viertel Flasche Sekt zu mir genommen und bin zu ihm hingefahren. Erst habe ich im Treppenhaus gesungen ...»

«Du hast was?»

«Ich finde, dass ich eine recht passable Singstimme habe. Meine Mutter sieht das genauso.»

«Und wie hat Karsten reagiert?»

«Er hat mich auf der Stelle hereingebeten. Ich habe sofort geweint, mich an seine Brust geworfen und gesagt, dass ich es keine Sekunde länger ohne ihn aushalten könne und dass ich erst mich und dann das verdammte Weib umbringen würde, wenn er nicht zu mir zurückkäme. Dann habe ich mich dekorativ gegen die Wand gelehnt und bin langsam zusammengesackt.»

«Und Karsten?»

«Er sagte, er hätte seine Entscheidung längst getroffen. Und jetzt wisse er auch wieder ganz genau, was er in der Zeit ohne mich so sehr vermisst habe.»

«Was war das denn nun zwischen ihm und dieser Frau?»

«Diese Pissnelke ist eine Kollegin von ihm. Sondereinsatzkommando. Wahrscheinlich so ein furchtbares Mannweib, das sich noch nie irgendwo rasiert hat. Sie hat sich total an ihn rangeschmissen. Karsten sagt, sie sei das genaue Gegenteil von mir – jetzt mal abgesehen davon, dass sie eine Frau ist. Und da hätte er sich gefragt, ob er mit einem weniger wartungsintensiven Menschen auf Dauer vielleicht besser bedient wäre.»

«Und?»

«Schon bei der zweiten Verabredung mit ihr hat er sich zu

Tode gelangweilt. Sie raucht und trinkt nicht, ernährt sich vegetarisch, kriegt nie Strafzettel und schläft auch im Winter bei offenem Fenster. ‹Geländegängig› nennt man so was wohl. Grauenhaft! Die hat noch nicht mal die kleinste Allergie. Das hätte ich ihm gleich sagen können, dass das nichts für ihn ist. Bei seinem sonst so geregelten Leben braucht Karsten jemanden wie mich: eine Mensch gewordene Geschwindigkeitsübertretung.»

«Ist es zwischen den beiden zum Äußersten gekommen?»

«Zum Glück nicht. Die schlimme Frau hat meinem armen Karsten ihre Rambo-Zunge so tief in den Hals gerammt, dass er würgen musste.»

«Ich bin froh, dass ihr wieder ein Paar seid.»

«Ach, was sind wir doch alle glücklich! Kaum zu glauben, dass du noch vor wenigen Wochen als verzweifelte Paprika unterwegs warst und ernsthaft erwogen hast, dich mit einem Nuklearsprengkopf zu paaren.»

Ich sagte nicht, dass aus heutiger Sicht Nuklearsprengkopf wahrscheinlich die beste aller Lösungen gewesen wäre.

Beschluss Nummer drei, Betreff: Gesundheit und Küche

Ich werde nicht aufhören zu rauchen. Ich werde zweimal die Woche den «Body Pump»-Kurs bei Nico besuchen.

Und ich werde von nun an jedem toten Geflügel grundlegend misstrauen. Kein Wunder, dass ich so betrunken bin, denn wir haben den ganzen Abend so gut wie nichts gegessen.

Es war ein unvergesslich widerwärtiger Anblick und Geruch gewesen, als sich beim Anschneiden der Ente herausstellte, dass ich die Plastiktüte mit den Innereien in der Bauchhöhle vergessen hatte.

Beschluss Nummer vier, Betreff: Sonstiges

Ich werde mich heute Abend nicht abschminken.

Und morgen brauche ich bestimmt zwei Aspirin.

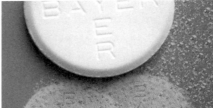

«DER HALBE MANN»

Heute Vormittag ist das Weihnachtsgeschenk meiner Mutter eingetroffen. Ich möchte sagen: leider. Sie hatte schon angekündigt, dass es nicht rechtzeitig zum Vierundzwanzigsten ankommen würde, da sich das von ihr ausgewählte Produkt außerordentlicher Beliebtheit erfreue und eine Weile vergriffen gewesen sei.

Meine Mutter hat einen sehr ausgeprägten Hang zu Katalogware. In Kombination mit ihrem sehr schlechten Geschmack hat das in der Vergangenheit bereits zu der einen oder anderen Verstimmung in meinem Elternhaus geführt.

Die Küchenschränke sind voll mit Geräten, von denen meine Mutter glaubte, sie könne ohne sie keine Sekunde lang weiterleben, die jedoch niemals benutzt wurden, darunter ein Vakuumverpacker, eine Nasendusche, eine Funkwetterstation, ein Krawattenlift und mindestens drei Sandwichmaker.

Die Hälfte dieser unnützen Dinge hat sie meinem Vater zu diversen Festtagen geschenkt. Sie hört einfach nicht auf damit: Will sie eine Sache haben und findet keinen Deppen, der bereit ist, dafür Geld auszugeben, verschenkt sie das fragliche Produkt einfach an ein Familienmitglied.

Meine Mutter hat auch mir die Freude am Beschenktwerden schon in jungen Jahren verdorben. Man erzählt sich in unserer Familie, dass ich mich bereits mit fünf geweigert hätte, Päckchen zu öffnen, auf denen «von Mama» stand. Das lag an dem traumatischen Erlebnis mit den «Pflanzgesichtern», zwei Übertöpfen aus «witterungsbeständigem Kunststein» mit so derart gruseligen

Gesichtern, dass ich mich beim Auspacken schier zu Tode erschreckte. Meines Wissens stehen die Monstertöpfe jetzt im Kellerregal gleich neben der Hüftsauna. Der Begleittext zu diesem erniedrigenden Präsent meiner Mutter zu Papas sechzigstem Geburtstag lautete: «Entschlacken Sie ganz nebenbei Ihre Problemzonen mit diesem temperierbaren Taillengurt!»

«Du musst endlich aufhören, Sachen zu verschenken, die dir gefallen», hatte mein Vater sie mehrfach ermahnt, denn auch im Bekanntenkreis kursierten bereits Warnungen vor Annemarie Schumanns geschmacksfreien Mitbringseln, die man nicht mal auf drittklassigen Flohmärkten wieder loswurde. Angefangen hatte es Anfang der Achtziger bei der goldenen Hochzeit von Omi Sophia und Opa Hansgert. Während

das betagte Paar einigermaßen alarmiert die voluminösen Pakete öffnete, las meine Mutter den Begleittext aus dem Katalog «Nützliches für Haus und Heim» so laut und überartikuliert vor, als handle es sich um ein Werk des späten Hölderlin:

«Mein Sack, dein Sack? Sack ist für uns alle da! Freuen Sie sich an Ihrem Sitzplatz mit eingebauter Reservierung. Weggegangen, Platz vergangen? Das war gestern!»

Nein, das ist keine im Laufe der Jahre bis zur Unkenntlichkeit ausgeschmückte Anekdote. Meine Mutter hatte tatsächlich zwei Sitzsäcke mit Namensaufdruck geschenkt.

Man muss dazu sagen, dass meine Großeltern damals schon unter Arthrose im fortgeschrittenen Stadium litten und nur aus sehr fest gepolsterten Sitzmöbeln unbeschadet und ohne fremde Hilfe wieder hochkamen.

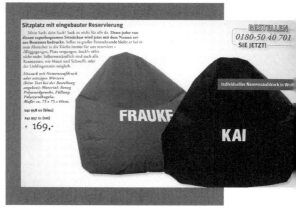

Aus dem verspäteten Weihnachtspaket meiner Mutter kamen zunächst Taschenbücher zum Vorschein, genauer eine Triologie: «Die Kunst, den Mann fürs Leben zu finden», «Die neue Kunst, den Mann fürs Leben zu finden» und «Die Kunst, den Mann fürs Leben zu halten».

Ich seufzte und fragte meinen Tannenbaum: «Warum kann sie nicht Kekse backen wie andere Mütter auch?»

Meine Mutter schien mindestens so besorgt wie ich, dass mir das Glück der ewigen Liebe womöglich versagt bliebe. Kein Grund, wie ich finde, das so offen zu zeigen und mich mit derartig platter Lektüre zu belästigen. Zwei der drei Bücher hatte ich außerdem schon.

Beim weiteren Inhalt des Pakets hatte sich meine Mutter nochmal selbst um Längen unterboten. Es handelte sich um ein Kissen, kein normales, harmloses, natürlich nicht. Ich dachte, ich sehe nicht recht. Es war ein Kissen in Form eines halben männlichen Oberkörpers mit einem Arm dran. Um den bestimmungsgemäßen Gebrauch zu gewährleisten, hatte meine Mutter die entsprechende Produktbeschreibung aus dem Katalog beigelegt:

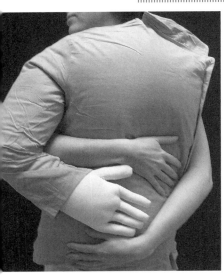

«Kissen: Halber Mann.

Bessere Hälfte. Schluss mit einsam: Kuschelkissen für alle, die endlich mal wieder an der Schulter eines Mannes einschlafen wollen.»

Darunter war das Foto einer Frau abgebildet, die sich gerade glücklich zwischen Kissen-Torso und Kissen-Arm schmiegt. Auf ihrer Hüfte liegen die unförmigen, steifen Kissen-Finger der Kissen-Hand mit der Anmut von leicht angefrorenen Leichenteilen.

Angewidert betrachtete ich den halben Mann. Sollte ich ihn sofort wegschmeißen oder zunächst an einem unauffälligen Ort deponieren? Ich entschied mich für ein sicheres Zwischenlager.

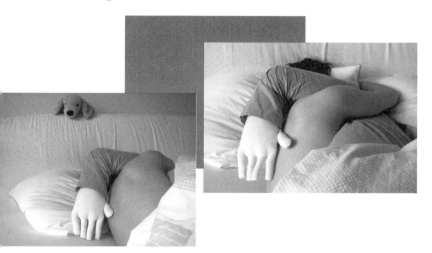

«Hilf mir, Silke. Morgen Abend kommt Draco, und ich weiß nicht, was ich ihm sagen soll. Da leide ich monatelang wie ein Hund unter der Trennung, und kaum erfüllen sich meine kühnsten Hoffnungen, weiß ich nicht, wie ich mich entscheiden soll.»

«Wenn ich dich an eins erinnern darf: Deine kühnste Hoffnung war, Draco zum Teufel zu jagen, sobald er wieder zu dir zurückwill. Die Gelegenheit zur Rache hättest du jetzt.»

«Stimmt. Bloß habe ich jetzt kein Interesse mehr an Rache.»

«Sondern?»

«Ich will nicht allein bleiben.»

«Du bist feige.»

«Vielleicht. Ich habe Angst, eine falsche Entscheidung zu treffen, denn wie oft im Leben hat man zwei gute Männer zur Auswahl?»

«‹Gut› ist hier allerdings ein relativer Begriff. Der eine hat dich betrogen, und der andere ist verheiratet. Vielleicht solltest du mal deine Ansprüche korrigieren – und zwar nach oben.»

«Und wenn ich eine Weile zweigleisig fahre, bis ich mir meiner Gefühle ganz sicher bin? Warum soll ich nicht mal Täter sein statt Opfer? Einmal die Femme fatale sein, dann könnte ich endlich Abenteuergeschichten erzählen, die ich selbst erlebt habe. Leben aus erster Hand!»

«Linda, ich habe zwei Kinder, und für mich ist es schon ein Abenteuer, wenn mein Babysitter bis Mitternacht bleibt. Du fragst also die Falsche. Wahrscheinlich kennt dein Herz schon längst die Antwort, aber die besten Zeiten im Leben hat man eben immer dann, wenn man sich erfolgreich von der Wahrheit ablenkt. Also red dir was ein! Dreh durch!

234

Schnapp über! Wann, wenn nicht jetzt? Und wo, wenn nicht in Berlin? Also, wie ist die Planung?»

«Draco kommt morgen. Zwei Abende später, am Dreißigsten, will sich Johann Berger mit mir treffen. Silvester ist die Nacht der Entscheidung. Da hat mir Spilz eine Einladung ins ‹Week End› besorgt.»

«Kannst du bitte deutsch mit mir reden?»

«Spilz ist ein Freund von Andreas, und das ‹Week End› ist ein Club im zwölften Stock über dem Alexanderplatz.»

«Interessiert es dich eigentlich auch, wie es mir geht? Oder ist dir das Schicksal einer zweifachen Mutter im Herzen von Nordrhein-Westfalen zu langweilig?»

«Jetzt hör schon auf zu spinnen. Also, wie geht es dir?»

«Danke der Nachfrage. Schlecht. Die Hiobsbotschaft aus meinem Leben lautet: Mein Sohn will nächsten Karneval als Cinderella gehen.»

«MORGENS IST ES GUT, ALLEIN ZU SEIN. ODER WEIT UNTER FÜNFUNDZWANZIG»

Es ist leicht gesagt. Und deswegen sagt es auch jeder ständig. Es steht auch in jedem Roman, der erwartbar auf ein Happy End zusteuert, und es kommt in jedem Song vor, den man sich anhört, wenn man mal wieder unter irgendwas leidet, was mit Liebe zu tun hat.

Diese leichtfertig gesagten und gesungenen Sätze lauten: «Folge einfach deinem Gefühl», «Höre auf die Stimme deines Herzens», «Listen to your heart» oder «Tu, was dein Instinkt dir rät».

Ich kann darauf nur erwidern: Wären meine Emotionen ein Wegweiser in der Wüste, würde ich niemandem mit begrenztem Wasservorrat raten, sich nach ihm zu richten. Und die Stimme meines Herzens klingt eher wie ein Chor aus Knaben, die alle gleichzeitig in den Stimmbruch gekommen sind.

Das Einzige, was mein Instinkt zurzeit rät, ist, ihm auf keinen Fall zu folgen.

Beim Aufwachen könnte ich wetten, dass ich meinen Exfreund liebe. Denn morgens um acht möchte ich nicht neben jemandem liegen, der noch nicht weiß, wie ich morgens um acht aussehe. Mein Anblick mag auch meinem guten alten Draco nicht angenehm sein, aber immerhin ist er ihm vertraut. Er vermutet nicht, dass ich über Nacht eine Allergie gegen meine eigenen Augen entwickelt habe, weil sie so verquollen und angestrengt aussehen, als hätten sie die ganze Nacht versucht, meinen Kopf und das Schlafzimmer zu verlassen.

Draco würde auch beim Blick auf mein morgendliches Dekolleté nicht in ungezügelte Panik verfallen. Die irreparablen Sonnenschäden in Kombination mit einer für Seitenschläfer typischen zusätzlichen Verfaltung addieren sich hier Nacht für Nacht zu einer Problemzone, die im Krimi ein abgesperrter Tatort wäre.

Morgens ist es gut, allein zu sein. Oder weit unter fünfundzwanzig.

Abends liebe ich dann Johann Berger. Abenteuer erleben – immer sorgfältig geschminkt natürlich. Leidenschaft statt Vertrautheit. An einem Tatort sein, statt «Tatort» zu gucken. Sich verzehren und sich gegenseitig vormachen, die Sehnsucht werde niemals aufhören, selbst wenn sie sich erfüllt.

Nachts will ich Geliebte sein. Sex haben, bei dem man ins Schwitzen gerät. Vor und nicht erst nach dem Abschminken. Vor und nicht nach dem Zähneputzen, denn die Küsse der Geliebten schmecken nach Alkohol oder Schokolade oder Trüffel. Und keinesfalls nach Blend-a-Med-Karies- und Parodontose-Prophylaxe-Gel. Ja, nachts will ich Geliebte sein. Aber frühstücken würde ich gerne mit einem langjährigen Lebenspartner und meiner «Intense Anti Wrinkle Firming Mask» im Gesicht.

Es ist doch wie mit Autos: Am tollsten wäre, man könnte sich einen soliden Viertürer für den alltäglichen Stadtverkehr leisten und ein Liebhaberstück für die Ausflüge am Wochenende. Je länger ich nachdenke, desto mehr favorisiere ich das

Zwei-Männer-Modell: ein Liebhaberstück und einen für den alltäglichen Stadtverkehr.

Vielleicht betrachten wir Partnerschaften viel zu sehr unter dem Exklusivitätsaspekt. Ist es nicht total kleinlich, jemanden nicht teilen zu wollen, dem man doch nicht alles geben kann? Könnte es sein, dass der Anspruch auf Treue der eigentliche Ruin ist für die moderne Beziehung?

Herrje, wir sterben halt nicht mehr mit zweiunddreißig an Schwindsucht oder Beulenpest. Früher war es leicht, sich zu lieben, «bis dass der Tod euch scheidet», weil der Tod mit schöner Verlässlichkeit die Paare trennte, ehe sie sich miteinander langweilen und darüber nachdenken konnten, ob sie sich in der Beziehung auch angemessen selbst verwirklichen können.

Aber heute? Mit zwölf bist du geschlechtsreif, mit zweiundachtzig durchschnittlich tot. Das sind siebzig Jahre, die du Zeit hast, zu lieben, Sex zu haben und darüber zu streiten, wer mit dem Streit angefangen hat. Kein Wunder, dass es da hin und wieder mal zu etwas Leerlauf kommt.

Man sollte es doch ganz klar so sagen, wie es ist: Es gibt keine Leidenschaft in langen Beziehungen! Es gibt Liebe, es gibt Vertrautheit, es gibt schöne Rituale, aber du drehst nicht mehr durch vor Lust, wenn er sich beim Gähnen streckt und dabei ein Stück haariger Bauch zum Vorschein kommt – der übrigens noch nie durchtrainiert war, was dir früher aber nicht so aufgefallen ist.

Ich denke, eine dauerhaft triebgesteuerte Beziehung kann man nur mit Putengeschnetzeltem in Sahnesauce und Apfelpfannkuchen haben. Alles andere wird mit der Zeit alltäglich. Damit muss man sich abfinden.

Wer Liebe will, muss auf Leidenschaft verzichten.

Wer beides will, muss auf Treue verzichten.
Kann man zwei Männer lieben?
Und falls ja: Darf man das?
Vielleicht sollte ich einfach meinem Gefühl folgen.

«WER NICHTS WAGT, DER KANN AUCH NICHTS VERLIEREN»

Klar, er hat es ja gut gemeint, aber ich möchte nicht wissen, wie viele wirklich sehr schlimme Dinge auf dieser Welt passiert sind, bloß weil irgend so ein Trottel meinte, es gut meinen zu müssen.

Ich bin schweißgebadet, habe einen ekligen Geschmack im Mund, und ein Blick in den Spiegel bestätigt mir, dass ich aussehe wie ein Überlebender des Grubenunglücks von Lengede.

Draco hatte vor zwei Stunden geklingelt, wie verabredet um sechzehn Uhr. Ich wollte nicht, dass er abends kommt, denn das hätte unausgesprochen eine gemeinsame Nacht bedeutet. Und die wollte ich mir offen halten.

Am Telefon hatte ich ihm deutlich gesagt, dass ich nicht so einfach zurückzuhaben sei, wie er offensichtlich denke.

«Was erwartest du, Kleines? Soll ich mich vor dir auf den Boden werfen und Asche auf mein Haupt streuen?»

«Warum nicht?»

«Aber ich habe mich doch entschuldigt!»

«Das reicht mir nicht.»

«Was willst du denn noch?»

«Reden. Verstehen. Wir können doch nicht einfach da wieder anfangen, wo wir aufgehört haben.»

«Warum eigentlich nicht? Du warst doch glücklich mit

240

mir, oder? Du hast mich doch nicht verlassen, weil du mich nicht mehr liebst, sondern weil ich mich kurzfristig anders orientiert habe. Aber das Thema ist ja jetzt durch. Kleines, wir waren doch ein gutes Paar. Und wir können das wieder sein!»

«Mir geht das irgendwie alles zu schnell und zu leicht.»

«Bloß weil mal was schnell und leicht geht, muss es ja nicht gleich verkehrt sein. Gib mir eine zweite Chance, Linda!»

Ich hatte mich einigermaßen hübsch gemacht für Draco, das muss ich zugeben. Gut, das neue Samtoberteil, das mir Erdal zu Weihnachten geschenkt hatte, hatte ich mir natürlich für morgen aufgehoben, um Johann Berger zu beeindrucken.

Ich war hin und her gerissen. Sollte ich die sichere Lösung wählen? Zurück zu Draco? Warum denn eigentlich nicht? Manchmal schmecken ja aufgewärmte Speisen besonders gut. Und es kommt auch nicht selten vor, dass ich mir einen Film ausleihe, den ich schon mal gesehen habe. Ich weiß gern, was auf mich zukommt. Ich fahre auch gern immer wieder an denselben Urlaubsort. «Da weiß man, was man hat», lautet einer der meistbenutzten Sätze meiner Mutter. Irgendwas muss ich ja von ihr haben.

Ich habe immer Leute bewundert, die das Risiko lieben. Ich liebe es nämlich nicht.

Und wenn ich mich für Johann Berger entscheide, und dann verlässt der seine Frau nicht? Dann stehe ich ja ganz ohne Mann da!

Ich war sehr gespannt auf unser morgiges Wiedersehen. Wir hatten seit dem Fest in Hamburg nur per SMS kommuniziert, und natürlich hatte mich die Rückkehr von Draco emotional ein wenig abgelenkt – was zur Folge hatte, dass

Johann Bergers SMS emotionaler waren als jemals zuvor. In seiner letzten SMS hatte er sogar vorgeschlagen, wir sollten mal darüber reden, wie es mit uns weitergehen soll.

Die verbotene Frage! Nicht von mir gestellt! Heißa, wie doch mit einem Mal alles nach Plan läuft, sobald man aufhört, Pläne zu machen!

Als es um sechzehn Uhr klingelte und ich die Tür öffnete, kniete Draco vor mir auf der Fußmatte und rief: «Verzeih mir, geliebte Linda, Asche auf mein Haupt!» Im selben Moment kippte er eine mit Asche gefüllte Plastiktüte über seinem Kopf aus.

Unglückseligerweise hatte ich die Fenster zum Lüften geöffnet. Ich wusste, was geschehen würde, aber es war zu spät. Der Durchzug sorgte dafür, dass ich mich nach einigen Sekunden in einer Umgebung wieder fand, die mich an den Film «Die letzten Tage von Pompeji» erinnerte – nach dem Ausbruch des Vesuvs, versteht sich.

«Oh!», sagte Draco und warf einen verdutzten Blick auf meine helle Bluse, die keine helle Bluse mehr war. Dann zog er es vor, sich zunächst nicht weiter zu äußern.

Das war irgendwie typisch. Draco war schon immer ein Meister der Disziplin «Gut gemeint – schlecht gelungen». Ich habe generell keine guten Erfahrungen mit Männern gemacht, wenn die etwas besonders gut meinen. Meist bringen sie einem dann genau die seltenen Blumen mit, auf die man mit spontanem Bronchialspasma reagiert. Oder sie verstecken Schmuckpräsente an irgendwelchen absonderlichen Orten, was dazu führt, dass sie dann entweder aus Versehen in einem Müllschlucker oder in einer Speiseröhre landen.

Eine halbe Stunde verbrachten Draco und ich damit, den Flur zu säubern.

«Es ist doch die Geste, die zählt, oder?», fragte Draco mehrmals, aber ich antwortete nur mit einem schwer zu deutenden Schweigen.

Ich fand die Geste ja tatsächlich außerordentlich anrührend, aber ich hatte mir vorgenommen, mich ansatzweise unzugänglich und würdevoll zurückhaltend zu geben. Ich war eine Frau, die man verletzt hatte. Ich hatte gelitten und, ja, ich hatte in vielen einsamen Nächten viel geweint. Ich wollte, dass das gebührend berücksichtigt wird.

«Linda, wie soll das mit uns weitergehen?»

Draco sieht aus wie der Kaminkehrer aus «Mary Poppins», aber der Dreck verleiht ihm auch einen Hauch Mechanikermännlichkeit, wie sie vielen Frauen gefällt. Schmutzige Männer sind sowieso meistens sexyer als saubere. Damit meine ich natürlich nicht jene Art Hosenboden-Müffeligkeit, die sich ergibt, wenn ein Mann im Anzug von gestern mehrere Stunden im Zug oder Flugzeug gesessen hat. Nein, der erotische Schmutz ist elementarer Natur, und deswegen werden Feuerwehrmänner, Automechaniker und Gärtner bevorzugt als Liebhaber in Serien eingesetzt, in denen sich Frauen in amerikanischen Vorstädten langweilen.

Mein Herz antwortet meinem Exfreund ergriffen: «Ach, Liebster, bring mich zurück nach Jülich! Bring wieder Ordnung in mein zerzaustes Leben. Ich will, dass alles wieder gut wird, na ja, zumindest so gut, wie es war. Bloß kein Risiko, denn wer nichts wagt, der kann auch nichts verlieren!»

Mein Unterleib wagt den zarten Einwand: «Aber mit Johann Berger möchte ich eigentlich schon noch ein paar Mal schlafen. Er ist zwar kein Liebhaber der Spitzenklasse, aber so schätzungsweise ein halbes Jahr lang müsste der Reiz des Neuen und des Verbotenen dieses Manko noch ausgleichen. Und, Kindchen, du bist Mitte dreißig. Was glaubst du, wie oft im Leben du noch die Gelegenheit bekommst, eine zehn Jahre jüngere Geliebte zu sein?»

Mein Verstand mault verdrossen: «Also ich sag jetzt gar nichts mehr. In diesem Irrenhaus kennt sich doch keine Sau mehr aus!»

Ich höre mich schließlich den Satz sagen, der doof ist, aber immer geht. Den man selbst nie zu hören bekommen möchte und schon viel zu oft gehört hat. Ich sage: «Ich brauche noch etwas Zeit.»

Draco sieht aus wie Schweinchen Babe, als seine Mutter zum Schlachter abtransportiert wird.

«Wie du meinst, Kleines. Ich gehe jetzt mal 'ne Runde duschen. Meinst du, zehn Minuten reichen, um dich für mich zu entscheiden?»

Ich muss leider lachen. Ich mag Dracos Humor, bei dem man immer erst mal denkt, es handele sich um eine Unverschämtheit. Ich bin jetzt doch irgendwie außerordentlich gerührt und schenke ihm ein liebevolles Lächeln, wie es für heute eigentlich noch nicht vorgesehen gewesen war.

«Silke? Bist du das?»

«Natürlich bin ich das. Du hast mich schließlich angerufen. Warum flüsterst du so?»

«Draco ist gerade unter der Dusche. Ich möchte nicht, dass er uns hört.»

«Ach, unter der Dusche? Da seid ihr ja schnell zur Sache gekommen.»

«Es ist anders, als du denkst. Er hat mich gerade gefragt, wie es mit uns weitergehen soll.»

«Und was hast du gesagt?»

«Dass ich Zeit brauche.»

«Und was hast du wirklich gedacht?»

«Ich komme mit dem Denken leider nicht mehr hinterher. Zwei Männer stellen mir die Frage, die ich mir verkneife, seit ich sprechen gelernt habe: Das ist zu viel für mich! Ich überlege, mich krankschreiben und in ein Sanatorium einweisen zu lassen.»

«Mit welchem Befund? Durchgedreht aufgrund der Qual der Wahl? Wissen die beiden eigentlich voneinander?»

«Natürlich nicht. Ich glaube, dass Johann Berger kein Befürworter offener Affären ist. Er ist ja doch eher der konservative Beziehungstyp, der zwar gerne mehrere Frauen hat, jede einzelne von ihnen aber ungern teilt.»

«Glaubst du, er hat noch andere Geliebte?»

«Das wäre ja noch schöner! So was würde ich auch nicht mitmachen. Ich habe ihm deutlich gesagt, dass er mir und seiner Frau unbedingt treu sein muss.»

«Das finde ich wirklich ganz toll, dass du in diesem Punkt so konsequent bist. Ansonsten kann man ja nicht sagen, dass du derzeit eine gerade Linie verfolgst.»

«Ich denke, ich lasse die Sache einfach mal auf mich zukommen, oder?»

«Genial! Dass du darauf nicht früher gekommen bist!»

«Sei jetzt bitte nicht sarkastisch. Was ist eigentlich mit deinem Sohn? Hast du ihm das Cinderella-Kostüm ausreden können?»

«So würde ich das nicht formulieren. Ich habe ihm gesagt, wenn er sich nicht gefälligst als Cowboy verkleidet, kommt der Weihnachtsmann in diesem Jahr nicht.»

«Ist das pädagogisch gesehen nicht etwas intolerant?»

«Na und? Ich bin ausgesprochen gern intolerant. Und bei wem soll ich denn bitte schön intolerant sein, wenn nicht meinen eigenen Kindern gegenüber? Sonst ist es ja überall verboten. Ich finde ... Was war das denn?»

«Es hat geklingelt. Keine Ahnung, wer das ist. Erdal vielleicht, aber der müsste eigentlich in Hamburg sein. Hoffentlich ist nicht wieder was mit Karsten. Ich ruf dich gleich zurück.»

Ich öffne die Tür – und bin zum zweiten Mal an diesem Tag fassungslos.

«Hallo, Kleines!»

Johann Berger hat in der einen Hand eine rote langstielige Rose, in der anderen eine Flasche Rosé-Champagner.

«Ich bin einen Tag früher nach Berlin gekommen. Sehnsucht nennt man so was wohl. Aber sag mal, wie siehst du denn aus? Hat es bei dir gebrannt?»

Ich schaffe es gerade noch zu denken, dass so was doch normalerweise normalen Leuten unter normalen Umständen nicht passiert. Dann höre ich Dracos Stimme näher kommen.

«Schätzchen, du hast mich wohl doch mehr vermisst, als du zugeben willst. Guck mal, was ich im Backofen gefunden habe. Ich finde allerdings, dass dem Kerl etwas ganz Entscheidendes fehlt.»

Es ist, als hätte jemand beim Videogucken während der allerentsetzlichsten Szene auf «Standbild» gedrückt:

Johann Berger steht im dunklen Dreiteiler in der Wohnungstür.

Und Draco steht nackt im Flur – nur unzureichend verdeckt vom Kissen «Halber Mann».

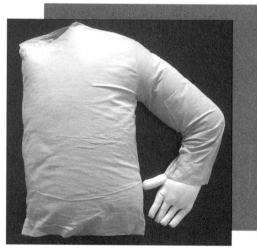

Lieber Andreas,

ich bin wie meist um diese Zeit etwas wehmütig
gestimmt. Das Jahr liegt in den letzten Zügen, ich
weiß nicht, was ich anziehen soll, und im Fernsehen
läuft «Dinner for One».

Was finden die Leute eigentlich so lustig daran? Mir
kam es immer schon traurig und tragisch vor, wie
die alte Dame, die all ihre Freunde und Liebhaber
überlebt hat, versucht, sich von ihrer Einsamkeit
abzulenken mit Hilfe eines stetig betrunkener wer-
denden Angestellten.

Womit wir schon wieder bei deinem Lieblingsthema
wären, du Meister der Ablenkungsmanöver: Was wirst
du heute tun, um nicht zu spüren, dass du einsam
bist? Wirst du den Abend wieder mit einer Thunfischpizza in jedem Arm verbringen?

Oder bist du gar nicht mehr einsam, weil du deinen
Kummer so lange nicht beachtet hast, bis es ihm bei
dir zu langweilig wurde?

Du gehst deinen Weg konsequent:

1. Trennung.

2. Kummer.

3. Noch mehr Kummer.

4. Neubeginn.

Das nenne ich ergebnisorientierte Verarbeitung.
Kompliment. Ich wünschte, ich wäre so diszipliniert

wie du. Ich habe mich bloß ausgezeichnet durch
die konsequente Nichtbefolgung aller mir erteil-
ten Ratschläge. Ich habe jeden Umweg genommen, der
sich bot, und alle Dummheiten gemacht, die man nur
machen kann. Aber ist ein zuverlässig stattfindendes
Chaos nicht auch eine Form von Ordnung?
Weißt du, was mir in den letzten Wochen aufgefallen
ist? Wie das bittere Gefühl, einsam zu sein, blitz-
schnell umschlagen kann in das süße Gefühl, unabhängig zu sein.
Ich habe an deinem Küchentisch so verdammt viele
traurige Nächte verbracht. Und ebenso viele tolle.
Langweilig war mir nie, ausgeglichen war ich nie.
Ich habe mich immer großartig gefühlt, großartig
gut oder großartig schlecht.
Schade, dass es nicht so bleiben kann, denke ich
manchmal. Irgendwann ist alles wieder normal. Ist
es nicht verrückt, dass ich jetzt schon weiß, dass
mir dann manches Mal sogar meine Einsamkeit fehlen
wird?

Hab einen schönen Abend, lieber Andreas, was immer
du tust. Und falls dir niemand Besseres einfällt,
an den du um Mitternacht denken könntest, denk doch
einfach an mich.

Herzlich
Deine Linda

«KENNEN WIR UNS?»

Noch zwanzig Minuten! Dann ist dieses bemerkenswerte Jahr zu Ende. Ist es ein Happy End? Ach, irgendwie schon. Ich habe mich jedenfalls richtig verhalten. Und das ist für jemanden wie mich ziemlich außergewöhnlich. Zum Schluss war ich schließlich doch noch vernünftig.

Erdal wird enttäuscht sein. Seine Mutter wird sagen, dass Unvernunft jung hält. Und Andreas? Der wird sagen, dass er es ja schon immer gewusst hat.

Ich bin nicht gerade euphorisch. Natürlich nicht. Vernünftig ist ja auch das Gegenteil von euphorisch.

Berlin macht sich bereit. Eine Anspannung wie Sekunden vor dem Startschuss zu einem Hundert-Meter-Sprint.

Ich muss sagen, dass ich kein großer Freund von Silvester bin. Der Jahreswechsel macht mich nervös. Ich hasse den Druck, dass Silvester toll, ausgelassen und erinnerungswürdig sein muss. Wie soll denn das Jahr gut werden, wenn es nicht gut angefangen hat?

Du bist bis zum letzten Moment damit beschäftigt, eine Einladung für die Party zu ergattern, die den größten Bedeutungsfaktor verspricht. Du telefonierst noch am Nachmittag des Einunddreißigsten panisch mit deinen Freundinnen: verdammt, wohin? Und verdammt, wohin danach? Zwischendurch immer wieder der nur halb beruhigende Satz: «Ansonsten machen wir eben ein Fondue-Essen. Ist doch auch nett.»

Aber so richtig nett ist es eben nicht, wenn fünf Übriggebliebene ihre Fleischspieße in Fett tauchen und sich fragen, ob einem mittelmäßigen Silvester automatisch ein mittelmäßiges Jahr folgen wird.

Dieser verdammte Stress des Gelingenmüssens! Wie bei Abschlussball, Hochzeit, Zeugung und Entbindung. Wehe, das sind nicht alles ergreifende Erlebnisse, bei denen die Witterung und die Konfektionsgröße stimmen. Ich könnte wetten, dass man heutzutage selbst im Himmel gepiesackt wird, wenn die eigene Todesstunde nicht den allgemeinen Maßstäben für ein denkwürdiges Ereignis entspricht.

Man sollte sich seine letzten Worte und seine Sterbegarderobe besser frühzeitig zurechtlegen. Sonst trägst du womöglich ein geblümtes Nachthemd mit Löchern drin, sagst «Hmpf» – und deine armen Verwandten müssen sich auf eine präsentablere Version einigen, die sie beim Beerdigungskaffee erzählen können.

Noch fünfzehn Minuten.

Ich schaue von meinem Schwindel erregenden Fensterplatz im «Week End» auf die Stadt runter. Spilz versorgt mich regelmäßig mit Bier, und die Musik ist so laut, dass ich den Eindruck habe, der nächste Bass könnte mich aus dem zwölften Stock schubsen.

Habe ich die richtige Entscheidung getroffen?

Noch zehn Minuten.

Ja, sie ist so was von verdammt richtig.

Ich spüre, dass ich hier am falschen Platz bin. Ob ich es noch schaffe?

Noch acht Minuten.

Der Fahrstuhl hat ein derartiges Tempo drauf, dass ich hoffe, meine Innereien kommen mit dem nächsten nach. Unten lasse ich mir an der Garderobe meinen Mantel und meine Plastiktüte geben. Ich sprinte über den Alexanderplatz, dann die Torstraße hoch. Der Wind ist eiskalt. Meine Augen tränen. Die ersten übereiligen Raketen steigen in den Himmel. Noch nicht! Wartet!

Noch drei Minuten.

Man kann wirklich nicht sagen, dass ich auf meinen hohen Schuhen besonders zügig vorankomme. Immerhin hören jetzt meine Zehen auf zu schmerzen. Ich denke mal, sie sind verstorben.

Noch zwei Minuten.

Geschafft! Ich bin da. Die Tür steht offen. Ich bin völlig außer Atem.

Noch eine Minute.

Beeil dich!

Noch zehn Sekunden.

Augen schließen. Und diesen wunderbaren, unvergesslichen, vertrauten Geruch tief einatmen!

Drei.

Zwei.

Eins.

Reinbeißen in den besten Döner der Stadt!

Ich wünsche mir ein frohes neues Jahr.

Mir und meinem halben Mann.

Dies ist definitiv eines der besten Silvester meines Lebens. Okay, ich habe keinen Geliebten mehr, und mein Exfreund wird mein Exfreund bleiben. Nach ihrer Begegnung im Flur hatten beide Männer darauf bestanden, dass ich eine schnelle Entscheidung treffe.

Und das hatte ich getan.

Gegen beide.

Sehr emanzipiert.

Könnte zum Vorbild werden für Millionen Schwestern, die nach mir kommen.

Silke wird es mir erst nicht glauben und dann vorschlagen, die Frauenbewegung solle mir an prominenter Stelle ein Denkmal setzen. Oder bei Ikea irgendwas nach mir benennen. Eine Heizdecke zum Beispiel.

Eine Stimme in meinem Rücken.

«Frohes neues Jahr!»

Und ich dachte, ich sei der einzige Gast im «Grill- und Schlemmerbuffet».

Ich habe den Mund voll, sehr voll, und kann unmöglich antworten.

«Darf ich mich zu dir stellen?»

Ich nicke. Und fürchte, mir trieft gerade etwas Tzatzikisauce aus dem rechten Mundwinkel.

«Kennen wir uns?»

Ich finde es eine ansehnliche Leistung von mir, dass ich bei diesem Satz den Typen vor mir nicht mit einem Nieselregen aus Döner-Klümpchen besprühe.

«Ich denke schon. Ich habe dir etwas mitgebracht.»

Er stellt eine Tube Sonnencreme auf den Tisch. Schutzfaktor dreißig.

«Andreas?»

«Ich habe mir gedacht, dass ich dich hier finde. Wie steht es um dein Liebesleben? Hast du dich entschieden?»

«Ja.»

«Und wie?»

«Ich habe mich von beiden verabschiedet. Ich will nicht die Andere sein, sondern die Einzige.»

«Das klingt für deine Verhältnisse ungewöhnlich vernünftig.»

«Ach weißt du, mit Vernunft werden auch Weltkriege verhindert.»

«Möchtest du etwas trinken?»

«Ein Wasser. Bitte …»

«… mit Kohlensäure. Ich weiß.»